たったの72パターンで
こんなに話せる
イタリア語会話

CD BOOK

ビアンカ・ユキ/ジョルジョ・ゴリエリ

明日香出版社

はじめに

「本当に必要なことだけを、すっきり、簡潔に覚えたい！　とにかく最初は、基本的なことだけを話せるようになれればいい！」

　外国語を勉強しようと思ったとき、または海外に行こうと思ったとき、そんな風に考えたことはありませんか？

　こんなに忙しい毎日の中で、例外だらけの文法説明とにらめっこして覚えている余裕はない…、というのが私たち現代人の実情ですよね。

　そんな方たちのために、この『たったの72パターンでこんなに話せる』シリーズは誕生しました。

私たちが日常生活の中でよく使うパターンを覚えて、そこに自分の好きな動詞や名詞・形容詞を当てはめてみればいいだけ！

　この『72パターン』シリーズの英会話版『たったの72パターンでこんなに話せる英会話』は、ベストセラーとなっています。「あれ？　難しい語学書なんて読んでいないのに、こんなに話せるなんて!?」と実感した読者の方たちが、本当にたくさんいるということなのですね。

　私たちが日本語の生活の中で使っているパターンは、実を言うとそれほど多くはありません。フレーズの出だしや終わり方などを数十種類も知っていれば、普段の会話は成立してしまいます。

　イタリア人だって間違えてしまうような難しい動詞の時制や、めったに使われることのない例外項目などは省いて、パターンに必要な**イタリア語文法のエッセンスをすっきりとまとめました。**

　本文のフレーズにはルビをふってありますので、発音はパターンを見ながらCDを聴いてゆっくりと覚えていきましょう。

「これだけは！　絶対覚えたい重要パターン21」では、もっとも基本的な会話のパターンを、基礎文法を使って覚えます。
　「使える！　頻出パターン51」では、もう少し視野を広げて、私たちが日常でよく用いる表現をバラエティー豊かに学んでいきます。

　語学の勉強は「楽しい！」と思うことができれば、どんどん上達します。『72パターン』を学びながら、自然とイタリア語会話の感覚が身につくことでしょう。そのうちに、「イタリア語を学ぶって楽しい！」と感じていることに気がつくはずです。そんな風に思うころには、あんなに時間がかかっていた文法の勉強が、すいすいとクリアできてしまっているのです。
　大真面目に苦しい勉強をしていれば、上達するというものじゃない。それが語学の不思議なところ。
　さあ、まずはこの本のパターンを使って、楽しく気軽にイタリア語会話を始めてみてください！

2010年7月
ビアンカ・ユキ

◆**CDの使い方**◆
CDには、各フレーズが日本語→イタリア語の順に収録されています。イタリア語が実際にどのように話されているかを確認しながら聴いてください。
次に、発音やリズムをまねて、実際に言ってみましょう。
慣れてきたら、日本語の後に自分でイタリア語を言ってみましょう。

Contents

イタリア語・基本の基本！…8

絶対覚えたい重要パターン21

1. これは〜です／Questo è 〜 …18
2. 私は〜です／Sono 〜 …22
3. 〜します／動詞の直説法現在 …26
4. 〜しています／Sto＋ジェルンディオ …30
5. 〜するつもりです／動詞の直説法未来 …34
6. 〜すると思います／Penso di＋動詞の原形 …38
7. 〜しました／動詞の直説法近過去 …42
8. もう〜しました／動詞の直説法近過去＋già …48
9. …からずっと〜しています／動詞の直説法現在＋da… …52
10. 〜することができます／Posso＋動詞の原形 …56
11. 〜しなければなりません／Devo＋動詞の原形 …60
12. 〜したいです／Voglio＋動詞の原形 …66
13. 〜があります／C'è 〜 …72
14. 〜は何ですか？／Che cosa è 〜? …76
15. 何が〜ですか？／Qual è 〜? …82
16. 〜は誰？／Chi è 〜? …86
17. 〜はいつ？／Quando è 〜? …90
18. 〜はどこ？／Dove è 〜? …96
19. どうして〜？／Perché 〜? …100
20. 〜はどう？／Come va 〜? …104
21. 〜はどれくらい？／Quanto 〜? …108

使える！頻出パターン51

Parte II

22	～したいのですが／Vorrei ～ …116
23	～はいかがですか？／Vuole ～? …118
24	～されますか？／Vuole ～? …120
25	～してみたいです／Mi piacerebbe ～ …122
26	～するのはどう？／Che ne dici di ～? …124
27	～したらどう？／Perché non ～? …126
28	～しよう／～iamo …128
29	～じゃないかな／Credo che ～ …130
30	～だといいね／Spero che ～ …132
31	前は～だったよ／動詞の直説法半過去 …134
32	～させて／Lasciami ～ …136
33	～をありがとう／Grazie di/per ～ …138
34	～してごめんね／Scusami ～ …140
35	～じゃない？／Non è ～? …142
36	そんなに～じゃないよ／Non è così ～ …144
37	～すぎるよ／È troppo ～ …146
38	～しないの？／Non＋動詞の直説法現在? …148
39	～しなかったの？／Non＋動詞の直説法近過去? …150
40	～かもしれない／Potrebbe ～ …152
41	～すべきだよ／Dovresti ～ …154
42	～するはずだよ／Dovrebbe ～ …156
43	～するはずでした／動詞の条件法過去 …158

44	〜すればよかった／Avrei dovuto 〜	…160
45	〜のはずがない／Non può 〜	…162
46	〜に違いない／Deve essere 〜	…164
47	〜してください／〜, per favore	…166
48	〜しないで／Non 〜	…168
49	〜してもいい？／Posso 〜？	…170
50	〜してもいいですか？／Potrei 〜？	…172
51	〜してもらえない？／Puoi 〜？	…174
52	〜していただけませんか？／Potrebbe 〜？	…176
53	〜が必要です／Ho bisogno di 〜	…178
54	〜する必要があります／Bisogna 〜	…180
55	どんな〜？／Che tipo di 〜？	…182
56	よく〜するの？／〜 spesso？	…184
57	〜そうだね／Sembra 〜	…186
58	〜によるよ／Dipende da 〜	…188
59	〜ってこと？／Vuol dire 〜？	…190
60	〜だよね？／〜, vero？	…192
61	〜はどんな感じ？／Come è 〜？	…194
62	〜はうまくいった？／Come è andato 〜？	…196
63	〜がんばってね！／Buona fortuna per 〜！	…198
64	〜おめでとう！／Auguri per 〜！	…200
65	念のために〜／Per sicurezza 〜	…202
66	何時に〜？／A che ora 〜？	…204
67	〜を楽しみにしているよ／Non vedo l'ora di 〜	…208
68	〜で困っているの／Ho un problema con 〜	…210
69	〜だから／perché 〜	…212
70	〜の時／Quando 〜	…214
71	もし〜だったら／Se 〜	…216
72	〜のほうが…だ／è più＋形容詞＋di [che] …	…218

カバーデザイン：渡邊民人（TYPE FACE）
カバーイラスト：草田みかん
本文デザイン　：中川由紀子（TYPE FACE）
本文イラスト　：qanki

◎ イタリア語・基本の基本！◎

1. 名詞

　イタリア語の名詞には男性形と女性形があります。それに伴って、形容詞もそれぞれ男性形と女性形になります。**語尾が「o」で終わるものは男性名詞、語尾が「a」で終わるものは女性名詞、「e」で終わるものは男性名詞、女性名詞どちらかとなります。**これが、基本的なルールです。（例外もあります。）

●単数形
男性名詞
- libr**o**　　　本
- nom**e**　　　名前

女性名詞
- matit**a**　　鉛筆
- lezion**e**　　レッスン

●複数形
　基本的に、男性名詞は「i」で終わり、女性名詞は「e」か「i」で終わります。

男性名詞
- libr**i**
- nom**i**

女性名詞
- matit**e**
- lezion**i**

以上の名詞の主な変化を表にまとめると、次のようになります。

	単数形 → 複数形
男性形	―o → ―i ―e → ―i
女性形	―a → ―e ―e → ―i

2. 冠詞

イタリア語の名詞は、一般に冠詞を伴って用いられます。定冠詞・不定冠詞の2種類があります。

冠詞は、その名詞の性・数を示します。

●定冠詞

定冠詞は特定できる名詞か、総称的に用いられる名詞の前につきます。名詞の性・数、語頭の音の種類によって、次のような形をとります。

	名詞の語頭音	単数	複数
男性名詞	下記以外の子音	il	i
	s＋子音, z, gn, ps, x	lo	gli
	母音	l'	gli
女性名詞	子音	la	le
	母音	l'	le

例：**il** ragazzo（男の子）/ **i** ragazzi（男の子たち）
　　lo studente（学生）/ **gli** studenti（学生たち）
　　l'amico（友達）/ **gli** amici（友達たち）
　　la ragazza（女の子）/ **le** ragazze（女の子たち）
　　l'ambasciata（大使館）/ **le** ambasciate（大使館・複数形）

●不定冠詞

不定冠詞は、特定化できない、「ある」「1つの」といった意味を表します。名詞の性、および語頭の音の種類によって、不定冠詞は次の表のような形をとります。

	名詞の語頭音	単数	複数
男性名詞	下記以外の子音 s＋子音, z, gn, ps, x 母音	un uno un	dei degli degli
女性名詞	子音 母音	una un'	delle delle

例：**un** ragazzo（男の子）/ **dei** ragazzi（男の子たち）
　　uno studente（学生）/ **degli** studenti（学生たち）
　　un amico（友達）/ **degli** amici（友達たち）
　　una ragazza（女の子）/ **delle** ragazze（女の子たち）
　　un'ambasciata（大使館）/ **delle** ambasciate（大使館・複数形）

3. 形容詞

形容詞は、名詞の性・数に合わせて語尾変化します。変化の仕方は、名詞の基本ルールと同じです。

●単数形

男性形
- un ragazzo **carino**　　　　素敵な男の子
- un nome **difficile**　　　　難しい名前

女性形
- una ragazza **carina**　　　　素敵な女の子
- una lezione **facile**　　　　簡単な授業

●複数形

<u>男性形</u>
- dei ragazzi **carini**　　　素敵な男の子たち
- dei nomi **difficili**　　　難しい名前（複数形）

<u>女性形</u>
- delle ragazze **carine**　　素敵な女の子たち
- delle lezioni **facili**　　簡単な授業（複数形）

●所有形容詞

　「私の」「君の」といった意味を表す所有形容詞も、修飾する名詞の性・数に応じて語尾変化します。所有形容詞の前にも、冠詞をつけることを忘れずに！

	男性単数	男性複数	女性単数	女性複数
私の	mio	miei	mia	mie
君の	tuo	tuoi	tua	tue
彼・彼女・あなたの	suo	suoi	sua	sue
私たちの	nostro	nostri	nostra	nostre
君たち・あなた方の	vostro	vostri	vostra	vostre
彼ら・彼女ら・あなた方の	loro	loro	loro	loro

ポイント：特に混乱しやすいのが、『-e』で終わる女性名詞につく所有形容詞の変化です。『-a』で終わる女性名詞の場合と同じです。

例：la **mia** lezion**e**, la **tua** lezion**e**, la **sua** lezion**e**, le **mie** lezion**i**, le **tue** lezion**i**, le **sue** lezion**i**, le **nostre** lezion**i**, le **vostre** lezion**i**, le **loro** lezion**i**

4. 人称代名詞

●主語代名詞

主語代名詞は、動詞の主語として用いられます。

	男性単数	男性複数	女性単数	女性複数
私	io	noi	io	noi
君	tu	voi	tu	voi
彼・彼女	lui	loro	lei	loro
あなた(敬称)	Lei	voi/Loro	Lei	voi/Loro
文書体	egli(彼) esso(それ)	essi (彼ら・それら)	ella(彼女) essa(それら)	esse (彼女たち・それら)

●補語代名詞

補語代名詞は、動詞の補語として用いられます。

人称の場合

	直接補語(〜を)	間接補語(〜に)
私	mi	mi, a me
君	ti	ti, a te
彼	lo	gli, a lui
彼女	la	le, a lei
あなた(敬称)	La	Le, a Lei
私たち	ci	ci, a noi
君たち	vi	vi, a voi
彼ら	li	loro, a loro
彼女たち	le	loro, a loro

もの・場所・事柄を指す場合

それを	lo, la
そのこと	lo
そこ	ci

5. 動詞

動詞の活用形は、直説法・条件法・接続法・命令法などに大別されます。それぞれの法は、現在・未来・近過去・半過去・遠過去などの時制に分類されます。

主語の人称・数によって語形が決まるので、**主語（io, tu, luiなど）は省略することができます。**

●essere、avere

この2つの動詞は、essereは英語のbe動詞に相当し、avereはhave動詞に近い働きを持つので、とても重要です。他の動詞と結合していろいろな時制を作ったりするので、必ず覚えましょう！

	essereの直説法現在※	avereの直説法現在
私	sono	ho
あなた	sei	hai
彼／彼女	è	ha
私たち	siamo	abbiamo
あなたたち	siete	avete
彼ら／彼女たち	sono	hanno

※直説法現在は、現在形に相当します。

●規則的な動詞の活用

文章を作る上で基本となり、もっとも一般的に使われるのが直説法です。**基本的な活用は、直説法現在（現在形）、近過去（過去形）、未来です。**

接続法は、希望や喜怒哀楽の感情などを表すときに用いられる活用です。29.から登場します。

条件法は、丁寧な言葉遣いの場合や、アドバイスをするとき、また推測を表したりするときなど、いろいろな表現をさらに豊かにするために用います。40.から登場します。

条件法や接続法は、慣れてきたら覚えることにして、まずは次の直説法の活用を見てみましょう！

直説法現在

規則変化動詞は、語尾の形で3つのグループ（-are, -ire, -ere）に分かれます。-ire動詞には2種類あります。赤で書いた部分が、変化形です。

	amare（愛する）	temere（恐れる）	aprire（開ける）	capire（わかる）
私	amo	temo	apro	capisco
あなた	ami	temi	apri	capisci
彼／彼女	ama	teme	apre	capisce
私たち	amiamo	temiamo	apriamo	capiamo
あなたたち	amate	temete	aprite	capite
彼ら／彼女たち	amano	temono	aprono	capiscono

直説法近過去

近過去は、『essere＋ 過去分詞 』または『avere＋ 過去分詞 』です。助動詞に『essere』『avere』どちらを用いるかは、動詞によって決まっているので、p.46とp.47を参考にしてください。大多数の動詞は『avere』を伴いますが、移動を表す動詞などは『essere』を伴います。

また不規則な過去分詞もあるので、同じくp.46とp.47を参考にしてください。

過去分詞 の活用は、-are動詞なら-atoに、-ere動詞は-utoに、-ire動詞なら-itoに変化します（amare → amato, temere → temuto, capire → capito）。**助動詞が『essere』の場合は、以下のように過去分詞の語尾が主語の性・数によって変化します。**

	助動詞が『essere』	助動詞が『avere』
	andare（行く）	amare（愛する）
私	sono andato/a	ho amato
あなた	sei andato/a	hai amato
彼／彼女	è andato/a	ha amato
私たち	siamo andati/e	abbiamo amato
あなたたち	siete andati/e	avete amato
彼ら／彼女たち	sono andati/e	hanno amato

直説法未来

未来の事柄を表すときや、「～だろう」と推測するときに用いられます。

	amare（愛する）	temere（恐れる）	aprire（開ける）	capire（わかる）
私	amerò	temerò	aprirò	capirà
あなた	amerai	temerai	aprirai	capirai
彼／彼女	amerà	temerà	aprirà	capirà
私たち	ameremo	temeremo	apriremo	capiremo
あなたたち	amerete	temerete	aprirete	capirete
彼ら／彼女たち	ameranno	temeranno	apriranno	capiranno

72パターンを学んでいく前に、一通りの基本的な文法を説明しました。細かい文法は、これから72パターンを見ながら学んでいきましょう。さあ、あなたの好きな名詞や動詞を、いろいろなパターンに当てはめて会話をしてみましょう！

Parte I

これだけは!!
絶対覚えたい重要パターン 21

1 これは〜です

Questo è 〜

基本フレーズ

クエスト　エイル　ミオ　インディリッツォ
Questo è il mio indirizzo.
これが私の住所だよ。

こんなときに使おう!
友達に連絡先を伝えるときに…

『Questo è 〜』は、「これは［が］〜です」「こちらは［が］〜です」という表現です。〜には名詞または形容詞がきます。

男性名詞の場合はQuesto è 〜、女性名詞の場合はQuesta è 〜になります。

● 基本パターン ●

Questo ＋ è ＋ 名詞・形容詞(単数)
(il mio indirizzo)

基本パターンで言ってみよう!

Questo è carino!
（クエスト エ カリーノ）

これかわいいね。

Questa è la mia camera.
（クエスタ エ ラ ミア カーメラ）

ここが私の部屋だよ。

Questa è la famosa pizzeria.
（クエスタ エ ラ ファモーザ ピッツェリーア）

ここは有名なピザの店です。

Questo è il mio numero di telefono.
（クエスト エ イル ミオ ヌメロ ディ テレーフォノ）

これが私の電話番号だよ。

Questo panino è buono.
（クエスト パニーノ エ ブオーノ）

このパニーノはおいしいね。

> **ワンポイント** Questoの後に名詞をつなげて、『Questo＋ 名詞 ＋è ～.』とすると、「この 名詞 は～です」となります。

応用

●否定パターン●

基本パターンに『non』をつけるだけ！

Questo + non + è + 名詞・形容詞（単数）．

<small>クエスト　ノ　ネイル ミオ　リーブロ</small>
Questo non è il mio libro.

（これは私の本ではありません）

●疑問パターン●

基本パターンに『？』をつけるだけ！

Questo + è + 名詞・形容詞（単数） ？

<small>クエスト　エ イル トゥオ　リーブロ</small>
Questo è il tuo libro?

（これはあなたの本ですか？）

答え方
<small>シ　ロ エ</small>
Sì, lo è. （はい、そうです）
<small>ノー ノン ロ エ</small>
No, non lo è. （いいえ、違います）

ワンポイント　疑問文の形容詞や名詞は、『lo（そのこと）』に代えて用いることができます。動詞の前に置きます。

これは〜です／Questo è 〜

 応用パターンで言ってみよう!

クエスト ノ ネ ブオーノ
Questo non è buono.

これはおいしくないよ。

ワンポイント 『buono』には「おいしい」という意味のほかに「質が良い」という意味もあります。

クエスト フィルム ノ ネ インテレッサンテ
Questo film non è interessante.

この映画はおもしろくないよ。

クエスタ ノ ネ ラ ミア ローバ
Questa non è la mia roba.

これは私のものではありません。

クエスタ エ ラ トゥア マッキナ
Questa è la tua macchina?

これはあなたの車ですか？

 これも知っておこう!

『Questo』を『Quello』に変えると、「あれは〜です」という表現になります。

クエッロ エ ミオ フラテッロ
Quello è mio fratello.
あれは私の兄です。

2 私は〜です

Sono 〜

Sono uno studente.
ソーノ ウノ ストゥデンテ
僕は学生です。

こんなときに使おう！
職業を聞かれて…

『Sono 〜』は、「〜です」という表現です。〜には名詞または形容詞がきます。

● 基本パターン ●

Sono / Siamo ＋ 名詞・形容詞（単数） / 名詞・形容詞（複数）．

形容詞は、主語の性・数によって形が変わります。

	単数	複数
男性	Sono contento. （僕は嬉しい）	Siamo contenti. （僕たちは嬉しい）
女性	Sono contenta. （私は嬉しい）	Siamo contente. （私たちは嬉しい）

基本パターンで言ってみよう!

Sono impegnato.
ソーノ インペニャート
僕は忙しい。

Sono giapponese.
ソーノ ジャッポネーゼ
僕は日本人です。

Sono stanca.
ソーノ スタンカ
私は疲れたわ。

Sono io!
ソーノ イーオ
僕だよ！

Siamo di Roma.
シアーモ ディ ローマ
僕たちはローマ出身だよ。

> **ワンポイント** 『di 出身地』〜出身

Siamo appassionati della cultura italiana.
シアーモ アッパッシオナーティ デッラ クルトゥーラ イタリアーナ
僕たちはイタリア文化が大好きです。

応用

●否定パターン●

基本パターンに『non』をつけるだけ！

Non + sono / siamo + 名詞・形容詞（単数） / 名詞・形容詞（複数）

ノン　ソーノ　ウノ　ストゥデンテ
Non sono uno studente. （僕は学生ではありません）

ノン　シアーモ　デッリ　ストゥデンティ
Non siamo degli studenti. （僕たちは学生ではありません）

●疑問パターン●

基本パターンの動詞を『Sono → Sei』『Siamo → Siete』に変えて、『？』をつけるだけ！

Sei / Siete + 名詞・形容詞（単数） / 名詞・形容詞（複数） ?

セイ　ウノ　ストゥデンテ
Sei uno studente? （君は学生？）

答え方
　シ　ソーノ　ウノ　ストゥデンテ
Sì, sono uno studente. （はい、僕は学生です）
　ノー　ノン　ソーノ　ウノ　ストゥデンテ
No, non sono uno studente.
（いいえ、僕は学生ではありません）

私は～です／Sono ～

Siete degli studenti? （あなたたちは学生ですか？）
シエーテ　デッリ　ストゥデンティ

答え方　Sì, siamo degli studenti. （はい、僕たちは学生です）
シ　シアーモ　デッリ　ストゥデンティ

No, non siamo degli studenti.
ノー　ノン　シアーモ　デッリ　ストゥデンティ

（いいえ、僕たちは学生ではありません）

●過去パターン●

基本パターンの動詞を『Sono→Sono stato』『Siamo→Siamo stati』に変えるだけ！

Sono stato/a
Siamo stati/e
＋
名詞・形容詞（単数）
名詞・形容詞（複数）

Ieri sono stato impegnato. （昨日僕は忙しかった）
イエリ　ソーノ　スタート　インペニャート

Ieri siamo stati impegnati. （昨日僕たちは忙しかった）
イエリ　シアーモ　スタティ　インペニャーティ

応用パターンで言ってみよう！

Non sono sicuro.
ノン　ソーノ　シクーロ

確かではないです。

Sei guarito?
セイ　グアリート

体調は良くなった？

Siamo stati fortunati.
シアーモ　スタティ　フォルトゥナーティ

僕たちはラッキーだった。

Ⅰ これだけは!! 絶対覚えたい重要パターン21

3 〜します

動詞の直説法現在

基本フレーズ

Faccio la spesa.
ファッチョ ラ スペーザ
買い物をします。

こんなときに使おう！
「今日は何をしますか？」と聞かれて…

『 動詞の直説法現在 』は、「〜します」という表現です。動詞の形は、主語の性・数によって変わります。

基本パターン

動詞の直説法現在
（Faccio）

よく使う不規則動詞

	fare（する）	andare（行く）	venire（来る）	dire（言う）
私	faccio	vado	vengo	dico
あなた	fai	vai	vieni	dici
彼／彼女	fa	va	viene	dice
私たち	facciamo	andiamo	veniamo	diciamo
あなたたち	fate	andate	venite	dite
彼ら／彼女たち	fanno	vanno	vengono	dicono

基本パターンで言ってみよう!

Amo l'Italia.
アーモ リターリア

僕はイタリアが大好きです。

Vivo a Milano.
ヴィーヴォ ア ミラーノ

ミラノに住んでます。

Faccio la colazione.
ファッチョ ラ コラツィオーネ

朝ごはんを食べます。

> **ワンポイント** 『fare il pranzo / la cena』昼食・夕食をとる

Mangio la frutta ogni mattina.
マンジョ ラ フルッタ オンニ マッティーナ

毎朝フルーツを食べます。

Io **vado** d'accordo con lui.
イオ ヴァード ダッコールド コン ルイ

僕は彼とは気が合うよ。

> **ワンポイント** 『andare d'accordo con 〜』〜と気が合う

Conosco questa canzone.
コノスコ クエスタ カンツォーネ

この曲知ってるよ。

Noi **studiamo** insieme l'italiano.
ノイ ストゥディアーモ インシエメ リタリアーノ

僕たちは一緒にイタリア語を学んでます。

Noi **giochiamo** a calcio ogni domenica.
ノイ ジョキアーモ ア カルチョ オンニ ドメーニカ

僕たちは、毎週日曜日にサッカーをしているんだよ。

> **ワンポイント** 『ogni domenica』毎週日曜日に

応用

●否定パターン●

基本パターンに『non』をつけるだけ！

Non + 動詞の直説法現在 .

Non ho fame.　（お腹はすいてません）
ノ　ノ　ファーメ

Non abbiamo fame.　（僕たちはお腹はすいてません）
ノ　ナッビアーモ　ファーメ

●疑問パターン●

基本パターンの動詞を1人称（私）→ 2人称（あなた）に変えて、『？』をつけるだけ！

動詞の直説法現在　？

Hai fame?（お腹はすいてる？）
アイ　ファーメ

答え方　Sì, ho fame.（はい、すいてます）
　　　　シ　オ　ファーメ
　　　　No, non ho fame.（いいえ、すいてません）
　　　　ノー　ノ　ノ　ファーメ

Hai sete?（喉がかわいた？）
アイ　セーテ

答え方　Sì, ho sete.（はい、かわいてます）
　　　　シ　オ　セーテ
　　　　No, non ho sete.（いいえ、かわいてません）
　　　　ノー　ノ　ノ　セーテ

応用パターンで言ってみよう!

Non capisco bene.
ノン カピスコ ベーネ

よくわかりません。

Non mi arrabbio per una cosa così.
ノン ミ アラッビオ ペル ウナ コーザ コジ

こんなことじゃ僕は怒らないよ。

Non mi preoccupo così tanto.
ノン ミ プレオックポ コジ タント

僕はあんまり心配してないよ。

Non lo vedo spesso.
ノン ロ ヴェード スペッソ

彼とはあまり会いません。

Non lo conosco.
ノン ロ コノスコ

彼のことは知りません。

Parli l'inglese?
パルリ リングレーゼ

英語は話せる?

Vivi da solo?
ヴィーヴィ ダ ソーロ

一人暮らしなの?

Avete qualche impegno domani?
アヴェーテ クアルケ インペーニョ ドマーニ

明日は何か予定はありますか?

4 〜しています

Sto ＋ ジェルンディオ

基本フレーズ ♪

Sto guardando la TV.
ス ト　　グアルダンド　　ラ ティヴ

テレビを観てます。

こんなときに使おう!

電話で「今、何をしているの？」と聞かれて…

『Sto ＋ ジェルンディオ 』は、「〜しています」という現在進行形の表現です。

● 基本パターン ●

Sto ＋ ジェルンディオ（guardando）．

	stareの直説法現在
私	sto
あなた	stai
彼／彼女	sta
私たち	stiamo
あなたたち	state
彼ら／彼女たち	stanno

※ジェルンディオと呼ばれる活用形は、主語の性・数が変わっても変化しません。

基本パターンで言ってみよう!

ストファチェンドイルコンピト
Sto facendo il compito.

宿題をやっています。

ストプランツァンド
Sto pranzando.

昼食中です。

スタキアマンドウナミーカ
Sta chiamando un'amica.

彼女は友達と電話中です。

スティアーモヴィアッジャンドイントレーノ
Stiamo viaggiando in treno.

僕たちは電車で旅行中だよ。

ストチェルカンドウンペンシエリーノペルミアソレッラ
Sto cercando un pensierino per mia sorella.

姉におみやげを探してます。

 これも知っておこう!

『Sto + ジェルンディオ 』は、今、もしくはもうすぐ行われる行為を表すときにも使います。

ストアリヴァンド
Sta arrivando.

彼はもうすぐ到着するよ。

ストプレンデンドラウトブス
Sto prendendo l'autobus.

今、バスに乗るところだよ。

ストヴェネンドダテ
Sto venendo da te.

今、あなたのところに到着するよ。

応用

●否定パターン●

基本パターンに『non』をつけるだけ！

> Non + sto + ジェルンディオ．

Non sto guardando la TV.
ノン　スト　グアルダンド　ラ ティヴ

（テレビを観ているのではありません）

●疑問パターン●

基本パターンの動詞を『Sto→Stai』に変えて、『？』をつけるだけ！

> Stai + ジェルンディオ ？

Stai guardando la TV?
スタイ　グアルダンド　ラ ティヴ

（テレビを観ている最中ですか？）

答え方
Sì.（はい）
シ
No.（いいえ）
ノー

~しています／Sto＋ジェルンディオ

 応用パターンで言ってみよう!

Non sto piangendo.
ノン　スト　ピアンジェンド

泣いてないよ。

Non sto facendo niente di particolare.
ノン　スト　ファチェンド　ニエンテ　ディ　パルティコラーレ

今、特に何もしていないよ。

Stai dicendo sul serio?
スタイ　ディチェンド　スル　セーリオ

本気で言っているの？

Stai partendo per il Giappone?
スタイ　パルテンド　ペル　イル　ジャッポーネ

日本へ出発しようとしているんですか？

Ti stai preoccupando per me?
ティ　スタイ　プレオックパンド　ペル　メ

私のことを心配しているの？

ワンポイント 『preoccuparsi per ～』～のことを心配する

5 〜するつもりです

動詞の直説法未来

基本フレーズ ♪

アンドロ　アル　マーレ
Andrò al mare.
海に行くつもりです。

こんなときに使おう!
「週末の予定は？」と聞かれて…

『 動詞の直説法未来 』は、「〜するつもりです」と、予定や計画を表す表現です。

● 基本パターン ●

動詞の直説法未来　＋　名詞
（Andrò）　　　　　前置詞＋場所・目的地など
　　　　　　　　　　　（al mare）

直説法未来

	avere(持つ)	essere(いる)	andare(行く)	temere(恐れる)	capire(わかる)
私	avrò	sarò	andrò	temerò	capirò
あなた	avrai	sarai	andrai	temerai	capirai
彼／彼女	avrà	sarà	andrà	temerà	capirà
私たち	avremo	saremo	andremo	temeremo	capiremo
あなたたち	avrete	sarete	andrete	temerete	capirete
彼ら／彼女たち	avranno	saranno	andranno	temeranno	capiranno

基本パターンで言ってみよう!

Partirò fra poco.
<small>パルティロ フラ ポーコ</small>

もうすぐ出発するつもりです。

Farò del mio meglio.
<small>ファロ デル ミオ メーリョ</small>

ベストを尽くすつもりです。

> ワンポイント 『fare del meglio』ベストを尽くす

Pagherò per tutti.
<small>パゲロ ペル トゥッティ</small>

みんなの分を払うつもりです。

Viaggerò in treno.
<small>ヴィアッジェロ イン トレーノ</small>

電車で旅行するつもりです。

Andranno ad Okinawa in estate.
<small>アンドランノ ア ドキナワ イ ネスターテ</small>

彼らは夏に沖縄に行くつもりだよ。

これも知っておこう!

『 動詞の直説法未来 』は、現在の事柄に関する推測を表すときにも用いられます。

Sarà stanco.
<small>サラ スタンコ</small>

疲れているんだろう。

Avrà trenta anni.
<small>アヴラ トレンタ アンニ</small>

彼は30歳くらいだろう。

応 用

●否定パターン●

基本フレーズに『non』をつけるだけ！

Non ＋ 動詞の直説法未来 ．

Non andrò al mare.
ノ ナンドロ アル マーレ
（海には行かないつもりだよ）

●疑問パターン●

基本フレーズの動詞を１人称（私）→２人称（あなた）に変えて、『？』をつけるだけ！

動詞の直説法未来 ＋ 名詞 前置詞＋場所・目的地など ？

Andrai al mare?
アンドライ アル マーレ
（海に行くつもり？）

答え方

Sì, **ci** andrò.（はい、行くつもりです）
シ チ アンドロ

No, non **ci** andrò.（いいえ、行くつもりはありません）
ノー ノン チ アンドロ

ワンポイント 疑問文の「場所」は、『ci（そこ）』に代えて答えることができます。動詞の前に置きます。

~するつもりです／動詞の直説法未来

応用パターンで言ってみよう!

Ci andrai da solo?
チ アンドライ ダ ソーロ

1人でそこに行くつもり？

Verrai con me?
ヴェライ コン メ

一緒に来るつもり？

Non sarà così stanco.
ノン サラ コジ スタンコ

彼はそんなに疲れてないだろう。

Non andrò al cinema con lui.
ノ ナンドロ アル チーネマ コン ルイ

彼と映画には行かないつもりです。

Stasera tornerai a casa presto?
スタセーラ トルネライ ア カーザ プレスト

今夜は早く帰るつもり？

Non verrà al cinema con me.
ノン ヴェラ アル チーネマ コン メ

彼女は僕と映画に行くつもりがない。

6 ～すると思います

Penso di＋動詞の原形

基本フレーズ

Penso di partire domani.
ペンソ ディ パルティーレ ドマーニ
明日出発しようと思う。

こんなときに使おう!
「いつ出発するの?」と聞かれて…

『Penso di＋動詞の原形』は、「～すると思います」と現在の状態や今しようとしている行動、またはこれから行う予定や計画を表すときに使います。

基本パターン

Penso di ＋ 動詞の原形（partire）．

基本パターンで言ってみよう!

Penso di prendere questo.
ペンソ ディ プレンデレ クエスト
これにしようと思う。

Penso di farcela.
<ruby>ペンソ<rt></rt></ruby> <ruby>ディ<rt></rt></ruby> <ruby>ファルチェラ<rt></rt></ruby>
できると思います。

Penso di essere nel giusto.
ペンソ ディ エッセレ ネル ジュースト
僕が正しいと思う。

Penso di amarlo.
ペンソ ディ アマルロ
彼を愛してると思う。

Penso di parlarne con lei domani.
ペンソ ディ パルラルネ コン レイ ドマーニ
それについては明日彼女と話そうと思う。

Penso di tornare a casa verso le 8.
ペンソ ディ トルナーレ ア カーザ ヴェルソ レ オット
8時ごろ家に帰ろうと思います。

> ワンポイント 『verso le 〜』〜時ごろ

⚠ これも知っておこう!

「〜と信じています」というニュアンスの「思います」は、『Credo di ＋ 動詞の原形 』を用います。

Credo di essere sano.
クレド ディ エッセレ サーノ
僕は健康だと思う。

Credo di aver superato l'esame.
クレド ディ アヴェル スーペラート レザーメ
試験には受かったと思う。

応用

●否定パターン●

基本パターンに『non』をつけるだけ！

Non + penso di + 動詞の原形 .

Non penso di partire domani.
ノン　ベンソ　ディ　パルティーレ　ドマーニ
（明日私は出発しないと思う）

Non pensiamo di partire domani.
ノン　ベンシアーモ　ディ　パルティーレ　ドマーニ
（明日私たちは出発しないと思う）

●疑問パターン●

基本フレーズの動詞を『Penso→Pensi』に変えて、『？』をつけるだけ！

Pensi di + 動詞の原形 ？

Pensi di partire domani?
ベンシ　ディ　パルティーレ　ドマーニ
（明日あなたは出発しますか？）

> **答え方**
> Sì, parto domani.（はい、私は明日出発します）
> シ　パルト　ドマーニ
> No, non parto domani.（いいえ、私は明日出発しません）
> ノー　ノン　パルト　ドマーニ

～すると思います／Penso di＋動詞の原形

Pensate di partire domani?
ペンサーテ ディ パルティーレ ドマーニ

（明日あなたたちは出発しますか？）

答え方

Sì, partiamo domani.（はい、私たちは明日出発します）
シ パルティアーモ ドマーニ

No, non partiamo domani.（いいえ、私たちは明日出発しません）
ノー ノン パルティアーモ ドマーニ

応用パターンで言ってみよう!

Non penso di farlo.
ノン ペンソ ディ ファルロ

それはやらないと思う。

Non penso di vederlo.
ノン ペンソ ディ ヴェデルロ

彼とは会わないと思う。

Credi di essere nel giusto?
クレディ ディ エッセレ ネル ジュースト

自分が正しいと思う？

Non penso di comprare quella macchina.
ノン ペンソ ディ コンプラーレ クエッラ マッキナ

あの車は買わないと思うよ。

Non penso di finire tutto oggi.
ノン ペンソ ディ フィニーレ トゥット オッジ

今日全部やろうとは思っていません。

Pensi di essere libero stasera?
ペンシ ディ エッセレ リーベロ スタセーラ

今夜は空いてる？

7 〜しました

動詞の直説法近過去

基本フレーズ

オ ストゥディアート ベーネ
Ho studiato bene.
よく勉強しました。

こんなときに使おう！
「テストの準備はどう？」と聞かれて…

『 動詞の直説法近過去 』は、「〜しました」という表現です。
『 助動詞essere/avere ＋ 動詞の過去分詞 』の形を取ります。

● 基本パターン ●

助動詞 essere/avere （Ho） ＋ 動詞の過去分詞 （studiato）

直説法近過去

	助動詞にessereを用いる場合	助動詞にavereを用いる場合
私	sono andato/a	ho studiato
あなた	sei andato/a	hai studiato
彼／彼女	è andato/a	ha studiato
私たち	siamo andati/e	abbiamo studiato
あなたたち	siete andati/e	avete studiato
彼ら／彼女たち	sono andati/e	hanno studiato

※essereを用いる動詞は、過去分詞の形が主語の性・数によって変化します。

基本パターンで言ってみよう!

È andato tutto bene.
<small>エ アンダート トゥット ベーネ</small>

すべてうまくいきました。

Sono nato in Maggio.
<small>ソーノ ナート イン マッジョ</small>

僕は5月に生まれました。

> **ワンポイント** 『in 月』〜月に

Sono andato a Torino.
<small>ソーノ アンダート ア トリーノ</small>

トリノに行ってきました。

I miei amici sono arrivati.
<small>イ ミエイ アミーチ ソーノ アリヴァーティ</small>

私の友達が到着しました。

Ho preso il raffreddore.
<small>オ プレーゾ イル ラッフレッドーレ</small>

風邪をひきました。

Ho parlato per due ore al telefono.
<small>オ パルラート ペル ドゥエ オーレ アル テレーフォノ</small>

電話で2時間もしゃべったわ。

> **ワンポイント** 『al telefono』電話で

È uscito proprio adesso.
<small>エ ウシート プロプリオ アデッソ</small>

彼は今ちょうど出たところです。

Io ho fatto la spesa nel frattempo.
<small>イオ オ ファット ラ スペーザ ネル フラッテンポ</small>

その間に私は買い物をすませました。

> **ワンポイント** 『nel frattempo』その間に

応用

●否定パターン●

基本フレーズに『non』をつけるだけ！

　Non ＋ 助動詞 essere/avere ＋ 動詞の過去分詞 ．

　　ノ　　ノ　ストゥディアート　ベーネ
Non ho studiato bene.
（あまり勉強していません）

●疑問パターン●

基本フレーズの動詞を１人称（私）→２人称（あなた）に変えて、『？』をつけるだけ！

　助動詞 essere/avere ＋ 動詞の過去分詞 ？

　アイ　ストゥディアート　ベーネ
Hai studiato bene?
（ちゃんと勉強しましたか？）

答え方
シ
Sì.（はい）
ノー
No.（いいえ）

~しました／動詞の直説法近過去

応用パターンで言ってみよう！

Non ho visto quel film.
ノ ノ ヴィスト クエル フィルム

あの映画は観てません。

Non sono andato da Mario.
ノン ソーノ アンダート ダ マリオ

僕はマリオの家には行かなかった。

> ワンポイント 『andare da 〜』〜の家に行く

Non è stata una bella giornata oggi.
ノ ネ スタータ ウナ ベッラ ジョルナータ オッジ

今日は天気が良くなかった。

Hai comprato dei vestiti nuovi?
アイ コンプラート デイ ヴェスティーティ ヌオーヴィ

新しい服を買ったの？

Hai sentito che stanno insieme?
アイ センティート ケ スタンノ インシエメ

彼らが付き合ってるって聞いた？

Hai deciso di andare?
アイ デチーゾ ディ アンダーレ

行くことに決めたの？

> ワンポイント 『decidere di 〜』〜することに決める

◎助動詞にessereを用いる例◎

例：Sono andato.（僕は行った［男性］）
　　Sono andata.（私は行った［女性］）

赤字は不規則のものです。

	原形　　→ 過去分詞		原形　　→ 過去分詞
行く	andare　→ andato	存在する・いる	essere　→ **stato**
来る	venire　→ **venuto**	降りる	scendere → **sceso**
入る	entrare　→ entrato	出発する	partire　→ partito
出る	uscire　→ uscito	できる	riuscire　→ riuscito
滞在する	stare　→ stato	落ちる	cadere　→ caduto
生まれる	nascere　→ **nato**	なる	diventare → diventato
残る	rimanere → **rimasto**	変化する	divenire　→ **divenuto**
死ぬ	morire　→ **morto**	雨が降る	piovere　→ piovuto
成長する	crescere　→ **cresciuto**	乗る	salire　→ salito
座る	sedere　→ seduto	経つ	passare　→ passato

◎助動詞にavereを用いる例◎

前頁の動詞以外の、大多数の動詞は『avere』を伴います。不規則動詞を、下の表にまとめました。

例：Ho aperto.（私は開けた）

	原形 → 過去分詞		原形 → 過去分詞
開ける	aprire → aperto	動かす	muovere → mosso
飲む	bere → bevuto	失くす・負ける	perdere → perso
聞く	chiedere → chiesto	泣く	piangere → pianto
閉める	chiudere → chiuso	とる	prendere → preso
走る	correre → corso	笑う	ridere → riso
守る	difendere → difeso	答える	rispondere → risposto
描く	dipingere → dipinto	壊す	rompere → rotto
言う	dire → detto	(お金を)使う・消費する	spendere → speso
分ける	dividere → diviso	消す	spegnere → spento
する	fare → fatto	見る	vedere → visto
読む	leggere → letto	生きる・暮らす	vivere → vissuto
置く	mettere → messo	勝つ	vincere → vinto
縮小する	ridurre → ridotto	訳す	tradurre → tradotto
生産する	produrre → prodotto	溶かす	sciogliere → sciolto

8 もう〜しました

動詞の直説法近過去 ＋già

基本フレーズ

オ ジャ ヴィスト クエスト フィルム
Ho già visto questo film.
もうこの映画は観たよ。

こんなときに使おう!
映画を観ていて…

7.の『動詞の直説法近過去』に、副詞『già』をつけると、「もう〜しました」という完了を表す表現になります。

基本パターン

助動詞 essere/avere (Ho) ＋ già ＋ 動詞の過去分詞 (visto)

	助動詞にessereを用いる場合	助動詞にavereを用いる場合
私	sono già andato/a	ho già visto
あなた	sei già andato/a	hai già visto
彼／彼女	è già andato/a	ha già visto
私たち	siamo già andati/e	abbiamo già visto
あなたたち	siete già andati/e	avete già visto
彼ら／彼女たち	sono già andati/e	hanno già visto

基本パターンで言ってみよう!

Ho già fatto.
オ ジャ ファット

もうやりました。

Ho già finito di mangiare.
オ ジャ フィニート ディ マンジャーレ

もう食べ終わりました。

Sono già stata a Firenze.
ソーノ ジャ スタータ ア フィレンツェ

フィレンツェには行ったことがあります。

I miei amici sono già arrivati.
イ ミエイ アミーチ ソーノ ジャ アリヴァーティ

もう私の友達は到着したよ。

È già andato a letto.
エ ジャ アンダート ア レット

彼はもう寝ちゃいました。

> ワンポイント 『andare a letto』寝る (『dormire』眠る)

Ho già messo tutto a posto.
オ ジャ メッソ トゥット ア ポスト

もう全部大丈夫だよ。

Ho già bevuto troppo.
オ ジャ ベヴート トロッポ

もう飲みすぎたよ。

> ワンポイント 『troppo』〜すぎる

Hanno già pagato l'affitto.
アンノ ジャ パガート ラッフィット

彼らはもう家賃を払いました。

> ワンポイント 『pagare l'affitto』家賃を払う

応用

●否定パターン●

基本フレーズに『non』をつけて、『già（もう）』を『ancora（まだ）』に変えるだけ！

Non + 助動詞 essere/avere + **ancora** + 動詞の過去分詞

ノ　ノ　アンコーラ　ヴィスト　クエスト　フィルム
Non ho ancora visto questo film.
（私はこの映画をまだ観ていません）

●疑問パターン●

基本フレーズの動詞を1人称（私）→2人称（あなた）に変えて、『？』をつけるだけ！

助動詞 essere/avere + già + 動詞の過去分詞 ？

アイ　ジャ　ヴィスト　クエスト　フィルム
Hai già visto questo film?
（あなたはもうこの映画を観ましたか？）

答え方
シ　ロ　ジャ　ヴィスト
Sì, l'ho **già** visto.（はい、もう観ました）
ノー　ノ　ナンコーラ
No, non **ancora**.（いいえ、まだです）

ワンポイント　『lo（それ）＋ho』で、『l'ho』となります。

もう〜しました／動詞の直説法近過去＋già

Avete già visto questo film?
（アヴェーテ ジャ ヴィスト クエスト フィルム）

（あなたたちはこの映画をもう観ましたか？）

答え方

Sì, l'abbiamo già visto.（はい、もう観ました）
（シ ラッビアーモ ジャ ヴィスト）

No, non ancora.（いいえ、まだです）
（ノー ノ ナンコーラ）

> **ワンポイント**　『lo（それ）＋abbiamo』で、『l'abbiamo』となります。

応用パターンで言ってみよう!

Non ho ancora parlato a nessuno.
（ノ ノ アンコーラ パルラート ア ネッスーノ）

まだ誰にも話していません。

Non sono ancora pronta.
（ノン ソーノ アンコーラ プロンタ）

まだ準備できてません。

Non ho ancora finito il lavoro.
（ノ ノ アンコーラ フィニート イル ラヴォーロ）

まだ仕事が終わっていません。

Non sono ancora partiti per Milano.
（ノン ソーノ アンコーラ パルティーティ ペル ミラーノ）

彼らはまだミラノへ出発していません。

Hai già cenato?
（アイ ジャ チェナート）

もう夕食はすませた？

Hai già dato il regalo di Natale?
（アイ ジャ ダート イル レガーロ ディ ナターレ）

もうクリスマス・プレゼントはあげた？

9 …からずっと〜しています

動詞の直説法現在 ＋da…

基本フレーズ

ヴィーヴォ ア　ヨコハマ　　ダ ドゥエ アンニ
Vivo a Yokohama da due anni.
2年前から横浜に住んでいます。

こんなときに使おう！
「どこに住んでいるの？」と聞かれて…

3.の『動詞の直説法現在』に、『da』をつけると、「…からずっと〜しています」という継続を表す表現になります。

● 基本パターン ●

動詞の直説法現在 （Vivo） ＋ da ＋ 時 （due anni）．

基本パターンで言ってみよう!

Lavoro qua **da** tre mesi.
（ラヴォーロ クア ダ トレ メージ）

3カ月前からここで働いています。

Vive da solo **da** tre anni.
（ヴィーヴェ ダ ソーロ ダ トレ アンニ）

彼は3年前から一人暮らしだよ。

Studio l'italiano **da** cinque mesi.
（ストゥーディオ リタリアーノ ダ チンクエ メージ）

イタリア語を5カ月前から勉強しています。

Stiamo insieme **da** due settimane.
（スティアーモ インシエメ ダ ドゥエ セッティマーネ）

私たち2週間前から付き合ってるの。

Sono in questa condizione **da** due giorni.
（ソーノ イン クエスタ コンディツィオーネ ダ ドゥエ ジョルニ）

2日前から、こんな調子なんです。

Aspetto Mario **da** più di due ore.
（アスペット マーリオ ダ ピゥ ディ ドゥエ オーレ）

2時間以上マリオを待っています。

ワンポイント 『più di ～』～以上

応用

●否定パターン●

基本フレーズに『non』をつけるだけ！

Non + 動詞の直説法現在 + **da** + 時．

イル コンビューテル ノン フンツィオーナ ダ イエリ
Il computer non funziona da ieri.
（昨日からパソコンが動きません）

●疑問パターン●

「いつから〜していますか？」と聞きたいときは、『Da quando 〜?』となります。

いつから（ずっと）〜？

Da quando + 動詞の直説法現在 ？

ダ クアンド ノン フンツィオーナ イル コンビューテル
Da quando non funziona il computer?
（いつからパソコンが動かないの？）

答え方
ダ イエリ
Da ieri.（昨日からです）

…からずっと〜しています／動詞の直説法現在＋da…

Da quando vivi a Tokyo?
（いつから東京に住んでいるの？）

> 答え方
> Da cinque anni.（5年前からです）

応用パターンで言ってみよう!

Non lavoro da sabato.
土曜日から働いていません。

Non mangio niente da stamattina.
今朝から何も食べていません。

> ワンポイント 『niente』何も

Loro non si vedono da due mesi.
彼らは2カ月前から会っていません。

Da quando fumi?
いつからたばこを吸っているの？

Da quando aspetti il treno?
いつから電車を待っているの？

Da quando hai questa macchina?
この車はいつから持っているんですか？

10 ～することができます

Posso ＋ 動詞の原形

基本フレーズ

ポッソ　ダルティ　ウナ　マーノ
Posso darti una mano.
手を貸せるよ。

こんなときに使おう！
仕事が大変そうな同僚に…

『Posso ＋ 動詞の原形 』は、「～することができます」という表現です。

● 基本パターン ●

「～できる」という可能を表す場合と、「～してもいい」という許可・権利を表す場合は、動詞の『potere』を用います。

「～するすべを知っています」と言う場合は、動詞の『sapere』を用います。

Posso / So ＋ 動詞の原形 .

直説法現在

	potere	sapere
私	posso	so
あなた	puoi	sai
彼／彼女	può	sa
私たち	possiamo	sappiamo
あなたたち	potete	sapete
彼ら／彼女たち	possono	sanno

基本パターンで言ってみよう！

Posso andare subito.
（ポッソ　アンダーレ　スビト）

すぐに行けます。

So guidare la macchina.
（ソ　グイダーレ　ラ　マッキナ）

車を運転することができます。

So parlare in giapponese.
（ソ　パルラーレ　イン　ジャッポネーゼ）

日本語を話せます。

Puoi andare a Kyoto in Shinkansen.
（プオイ　アンダーレ　ア　キョート　イン　シンカンセン）

新幹線で京都へ行けます。

Posso mangiare tutto.
（ポッソ　マンジャーレ　トゥット）

何でも食べられます。

> **ワンポイント**　「好き嫌いがない」という意味で使われます。

Puoi riposarti nel pomeriggio.
（プオイ　リポザルティ　ネル　ポメリッジョ）

午後は休んでいいよ。

応 用

● 否定パターン ●

基本フレーズに『non』をつけるだけ！

Non + **posso/so** + **動詞の原形** ．

ノン　ポッソ　ダルティ　ウナ　マーノ
Non posso darti una mano.
（手伝うことができません）

ノン　ソ　バッラーレ
Non so ballare.
（私は踊れません）

● 疑問パターン ●

基本フレーズの動詞を『Posso→Puoi』『So→Sai』に変えて、『？』をつけるだけ！

Puoi/Sai + **動詞の原形** ？

プオイ　ダルミ　ウナ　マーノ
Puoi darmi una mano?
（手を貸してくれる？）

> 答え方
> ヴァ　ベーネ
> Va bene.（いいよ）
> ノー　ノン　ポッソ
> No, non posso.（いいえ、無理です）

~することができます／Posso＋動詞の原形

Sai ballare?
<ruby>サイ バッラーレ</ruby>

（あなたは踊れますか？）

> 答え方
> Sì.（はい）
> No.（いいえ）

😊 応用パターンで言ってみよう!

Non ci posso credere!
<ruby>ノン チ ポッソ クレーデレ</ruby>

信じられない！

Luigi non sa nuotare.
<ruby>ルイージ ノン サ ヌオターレ</ruby>

ルイージは泳げない。

Non posso aspettare fino a domenica.
<ruby>ノン ポッソ アスペッターレ フィーノ ア ドメーニカ</ruby>

日曜日まで待てません。

> ワンポイント 『fino a ～』～まで

Non puoi uscire con questo temporale.
<ruby>ノン プオイ ウシーレ コン クエスト テンポラーレ</ruby>

こんな嵐では出かけられないよ。

Potete stare in silenzio?
<ruby>ポテーテ スターレ イン シレンツィオ</ruby>

静かにしてくれる？

Puoi scrivere una mail a Mario?
<ruby>プオイ スクリーヴェレ ウナ メイル ア マリオ</ruby>

マリオにメールを書いてくれる？

Posso avere un bicchiere d'acqua?
<ruby>ポッソ アヴェーレ ウン ビッキエレ ダークア</ruby>

お水を一杯もらえる？

― これだけは!! 絶対覚えたい重要パターン21 ―

11 ～しなければなりません

Devo＋動詞の原形

基本フレーズ

デーヴォ ファーレ ラ スペーザ
Devo fare la spesa.
買い物しないといけないわ。

こんなときに使おう！
「今日はどんな予定？」と聞かれて…

『Devo＋動詞の原形』は、「～しなければなりません」という表現です。

● 基本パターン ●

Devo ＋ 動詞の原形（fare）

	dovereの直説法現在
私	devo
あなた	devi
彼／彼女	deve
私たち	dobbiamo
あなたたち	dovete
彼ら／彼女たち	devono

基本パターンで言ってみよう!

Devo andare.
デーヴォ アンダーレ

もう行かなきゃ。

Devo lavare la macchina.
デーヴォ ラヴァーレ ラ マッキナ

車を洗わないといけない。

Devo tornare a casa.
デーヴォ トルナーレ ア カーザ

家に帰らなきゃ。

Dovete cambiare il treno a Shinjuku.
ドヴェーテ カンビアーレ イル トレーノ ア シンジュク

新宿で電車を乗り換えなきゃいけないよ。

Devi parlare bene con lei.
デーヴィ パルラーレ ベーネ コン レイ

彼女とよく話さなきゃいけないよ。

応用

● 否定パターン ●

基本パターンに『non』をつけるだけ！

Non + devo + 動詞の原形 .

「〜してはいけない」、あるいは「〜しなくてもいい」という2通りの表現になります。

Non devo andare.（私は行く必要はありません）
※ノン デーヴォ アンダーレ

● 疑問パターン ●

基本パターンの動詞を『Devo→Devi』に変えて、『？』をつけるだけ！

Devi + 動詞の原形 ？

Devi andare?（あなたは行かなければなりませんか？）
※デーヴィ アンダーレ

答え方
Sì, devo andare.（はい、私は行かなくてはいけません）
※シ デーヴォ アンダーレ
No, non devo andare.（いいえ、私は行く必要はありません）
※ノー ノン デーヴォ アンダーレ

～しなければなりません／Devo＋動詞の原形

● 過去パターン ●

基本パターンの動詞『Devo』を『Ho dovuto』または『Sono dovuto』に変えるだけ！

近過去などで助動詞にessereを用いる動詞（p.15「文法説明」参照）は、ここでも同じようにessereを用います。助動詞がessereの場合は、主語の数と性によって、『dovuto』の形が変化するので気をつけて！

Ho dovuto / Sono dovuto ＋ **動詞の原形** ．

直説法近過去

	助動詞にessereを用いる場合	助動詞にavereを用いる場合
私	sono dovuto/a	ho dovuto
あなた	sei dovuto/a	hai dovuto
彼／彼女	è dovuto/a	ha dovuto
私たち	siamo dovuti/e	abbiamo dovuto
あなたたち	siete dovuti/e	avete dovuto
彼ら／彼女たち	sono dovuti/e	hanno dovuto

ソーノ　　ドヴート　　アンダーレ
Sono dovuto andare.（僕は行かなければいけなかった）

シアーモ　　ドヴーティ　　アンダーレ
Siamo dovuti andare.（僕たちは行かなければいけなかった）

応用パターンで言ってみよう!

Non devi lamentarti troppo.
ノン デーヴィ ラメンタルティ トロッポ

文句ばっかり言っちゃいけないよ。

Non devi prendere sul serio!
ノン デーヴィ プレンデレ スル セーリオ

本気にしちゃだめだよ!

ワンポイント 『prendere sul serio』 〜を本気にする

Devo chiedere a Mario?
デーヴォ キエーデレ ア マリオ

マリオに頼まないとだめかな?

Ho dovuto lavorare tutta la notte.
オ ドヴート ラヴォラーレ トゥッタ ラ ノッテ

一晩中働かなくてはいけませんでした。

Hai dovuto lavorare da solo?
アイ ドヴート ラヴォラーレ ダ ソーロ

1人で働かないといけなかったの?

〜しなければなりません／Devo＋動詞の原形

これも知っておこう!

　誰かに注意したり、アドバイスをしたりするときは、41.『〜すべきだよ／Dovresti 〜』を用いると、より丁寧な表現になります。dovrestiはdovereの条件法現在で、直説法を用いる場合に比べ、柔らかい表現になります。注意しにくいときなどにお勧めです！

<ruby>ドヴレスティ　アルツァルティ　プリマ</ruby>
Dovresti alzarti prima.
もうちょっと早く起きたほうがいいよ。

<ruby>ドヴレスティ　エッセレ　ピゥ　プントゥアーレ</ruby>
Dovresti essere più puntuale.
もう少し時間を守ったほうがいいよ。

12 ～したいです

Voglio ＋ 動詞の原形

基本フレーズ

ヴォッリョ アンダーレ ア ピエディ
Voglio andare a piedi.
歩いていきたいな。

こんなときに使おう！
「バスで行く？」と聞かれて…

『Voglio ＋ 動詞の原形 』は、「～したいです」という表現です。

基本パターン

Voglio ＋ 動詞の原形（andare）

	volereの直説法現在
私	voglio
あなた	vuoi
彼／彼女	vuole
私たち	vogliamo
あなたたち	volete
彼ら／彼女たち	vogliono

基本パターンで言ってみよう!

ヴォッリョ フィニーレ イル ラヴォーロ
Voglio finire il lavoro.

仕事を終わらせたいな。

ヴォッリョ コンプラーレ ウン リーブロ
Voglio comprare un libro.

本を買いたいな。

ヴォッリョノ ヴェデルティ
Vogliono vederti.

彼らは君に会いたがっているよ。

ヴォッリョ エッセレ ピゥ ブラーヴォ
Voglio essere più bravo.

もっとうまくなりたいです。

ヴォッリョ アリヴァーレ アッレディエチ
Voglio arrivare alle 10.

10時に着きたいな。

ヴォッリョ キエーデルティ ウン ファヴォーレ
Voglio chiederti un favore.

君に頼みがあるんだ。

応用

● 否定パターン ●

基本パターンに『non』をつけるだけ！

Non + voglio + 動詞の原形 ．

ノン　ヴォッリョ　アンダーレ　アル　マーレ
Non voglio andare al mare.
（私は、海に行きたくありません）

ノン　ヴオーレ　アンダーレ　アル　マーレ
Non vuole andare al mare.
（彼は、海に行きたがっていません）

● 疑問パターン ●

基本パターンの動詞を『Voglio→Vuoi』に変えて、『？』をつけるだけ！

Vuoi + 動詞の原形 ？

ヴォイ　アンダーレ　アル　マーレ
Vuoi andare al mare?
（海に行きたいですか？）

答え方

シ　ヴォッリョ　アンダルチ　ドマーニ
Sì, voglio andarci domain.（はい、明日行きたいです）

ノー　ノン　ヴォッリョ　アンダルチ
No, non voglio andarci.（いいえ、行きたくないです）

〜したいです／Voglio＋動詞の原形

● 過去パターン ●

基本パターンの『voglio』を『volevo』に変えるだけ！

Volevo ＋ 動詞の原形 .

	volereの直説法半過去
私	volevo
あなた	volevi
彼／彼女	voleva
私たち	volevamo
あなたたち	volevate
彼ら／彼女たち	volevano

ヴォレーヴォ　アンダーレ　アル　マーレ
Volevo andare al mare.

（私は海に行きたかった）

● 過去＋否定パターン ●

過去パターンに『non』をつけるだけ！

Non ＋ volevo ＋ 動詞の原形 .

ノン　ヴォレーヴォ　アンダーレ　アル　マーレ
Non volevo andare al mare.

（私は海に行きたくなかった）

応用パターンで言ってみよう!

Non voglio lavorare domani.
ノン ヴォッリョ ラヴォラーレ ドマーニ

明日は働きたくないな。

Non voglio parlare con lui.
ノン ヴォッリョ パルラーレ コン ルイ

彼とは話したくないです。

Vuoi venire con me?
ヴォイ ヴェニーレ コン メ

一緒に来る?

Vuoi prendere qualcos'altro?
ヴォイ プレンデレ クアルコザールトロ

他に何かほしいものはある?

〜したいです／Voglio＋動詞の原形

I これだけは!! 絶対覚えたい重要パターン21

13 〜があります
C'è 〜

基本フレーズ ♪

C'è una festa stasera.
チェ ウナ フェスタ スタセーラ
今晩パーティーがあります。

こんなときに使おう!
今夜の予定を聞かれて…

『C'è 〜（単数）』または『Ci sono 〜（複数）』は、「〜があります」「〜がいます」という表現です。

基本パターン

| C'è / Ci sono | + | 名詞の単数形 / 名詞の複数形 |

基本パターンで言ってみよう!

C'è Mario lì.
チェ マリオ リ

そこにマリオがいるよ。

C'è un problema.
チェ ウン プロブレーマ

問題があるんだ。

C'è una marea di gente.
チェ ウナ マレア ディ ジェンテ

すごい人ごみだよ。

> ワンポイント 『una marea di gente』人ごみ

C'è una cartoleria davanti alla banca.
チェ ウナ カルトレリア ダヴァンティ アッラ バンカ

銀行の前に文房具屋があります。

C'è un ascensore a destra.
チェ ウン アシェンソーレ ア デストラ

右手にエレベーターがあります。

Ci sono due uscite.
チ ソーノ ドゥエ ウシーテ

出口は2つあります。

応 用

●否定パターン●

基本パターンに『non』をつけるだけ！

Non + c'è / ci sono + 名詞の単数形 / 名詞の複数形

ノン チェ ウン バール クイ イントルノ
Non c'è un bar qui intorno.

（この辺りにはバールがありません）

●疑問パターン●

基本パターンに『？』をつけるだけ！

C'è / Ci sono + 名詞の単数形 / 名詞の複数形 ？

チェ ウン バール クイ ヴィチーノ
C'è un bar qui vicino?

（この近くにバールはありますか？）

答え方
シ チェ
Sì, c'è. （はい、あります）
ノー ノン チェ
No, non c'è. （いいえ、ありません）

〜があります／C'è 〜

😊 応用パターンで言ってみよう!

ノン チェ ニエンテ クア
Non c'è niente qua.

ここには何もないよ。

ノン チ ソーノ モルテ シェルテ
Non ci sono molte scelte.

あまり選択肢はないね。

チェ イル プロフェッソーレ
C'è il professore?

先生はいますか？

チェ クアルケ プロブレーマ
C'è qualche problema?

何か問題がありますか？

チェ クアルケ インディカツィオーネ
C'è qualche indicazione?

何か目印はありますか？

⚠️ これも知っておこう!

お店で「〜はありますか？」と聞く場合などは、『C'è 〜?』ではなく『Avete 〜?』と聞くほうが適しています。

アヴェーテ イ フランコボッリ
Avete i francobolli?

切手はありますか？

アヴェーテ ウナ マッパ デッラ チッタ
Avete una mappa della città?

町の地図はありますか？

14 〜は何ですか？

Che cosa è 〜?

基本フレーズ♪

Che cosa è quell'edificio?
ケ　コゼ　エ　クエッレディフィーチョ

あの建物は何ですか？

こんなときに使おう!
旅行中に素敵な建物を見かけて…

　『Che cosa è 〜?』または『Che cosa sono 〜?』は、「〜は何ですか？」という表現です。

　口語体では、『Cos'è 〜?』『Cosa sono 〜?』という省略した表現が、よく用いられます。

　『Che cosa è [sono] 〜?』と聞かれたら、『È la mia scuola.（私の学校です）』などのように答えます。

●基本パターン●

| Che cosa è
Che cosa sono | ＋ | 名詞の単数形
名詞の複数形 | ? |

基本パターンで言ってみよう!

Che cosa è?
<small>ケ コゼ エ</small>

それは何？

Che cosa è questo cibo?
<small>ケ コゼ エ クエスト チーボ</small>

この食べ物は何ですか？

Che cosa è questa cosa sulla tavola?
<small>ケ コゼ エ クエスタ コーザ スッラ ターヴォラ</small>

この机の上のものは何？

> ワンポイント 『su ～』～の上

Che cosa è il Kimono?
<small>ケ コゼ エイル キモノ</small>

着物って何ですか？

Cos'è quell'animale?
<small>コゼ クエッラニマーレ</small>

あの動物は何だろう？

Che cosa sono questi pacchi?
<small>ケ コザ ソーノ クエスティ パッキ</small>

これらの箱は何ですか？

Ⅰ これだけは‼ 絶対覚えたい重要パターン21

応　用

●応用パターン1●

何を〜するのですか？

> Che cosa ＋ 動詞の直説法現在 ?

応用パターンで言ってみよう！

Che cosa dice Marco?
ケ　コザ　ディーチェ　マルコ

マルコは何て言ってるの？

Che cosa fai domani?
ケ　コザ　ファイ　ドマーニ

明日は何をするの？

Che cosa mangiamo?
ケ　コザ　マンジャーモ

何を食べようか？

Che cosa vuoi cucinare?
ケ　コザ　ヴォイ　クチナーレ

何を料理したいの？

Che cosa prende per dessert?
ケ　コザ　プレンデ　ペル　デッセール

デザートは何にしますか？

Cosa vuol dire?
コーザ　ヴォル　ディーレ

どういう意味？

(ワンポイント) よく使われる口語体の表現です。

〜は何ですか？／Che cosa è 〜?

● 応用パターン2 ●

何を〜したのですか？

Che cosa ＋ 助動詞 essere/avere ＋ 動詞の過去分詞 ?

😊 応用パターンで言ってみよう!

Che cosa hai disegnato?
ケ　コザ　アイ　ディゼニャート

何を描いたの？

Che cosa hai fatto ieri?
ケ　コザ　アイ　ファット　イエリ

昨日は何をしたの？

Che cosa ti ha detto Marco?
ケ　コザ　ティ　ア　デット　マルコ

マルコは何て言ってたの？

Che cosa abbiamo mangiato ieri?
ケ　コザ　アッビアーモ　マンジャート　イエリ

昨日、僕らは何を食べたっけ？

Che cosa ti ha regalato il tuo ragazzo?
ケ　コザ　ティ　ア　レガラート　イル　トゥオ　ラガッツォ

彼は何をプレゼントしてくれたの？

● 応用パターン3 ●

何を〜していますか？

Che cosa + stai + ジェルンディオ ?

応用パターンで言ってみよう!

Che cosa stai facendo?
ケ コザ スタイ ファチェンド

何をしているの？

Che cosa stai pensando?
ケ コザ スタイ ペンサンド

何を考えているの？

Che cosa stanno dicendo?
ケ コザ スタンノ ディチェンド

彼らは何を言っているのだろう？

Che cosa sta cercando Marco?
ケ コザ スタ チェルカンド マルコ

マルコは何を探しているの？

Che cosa stanno guardando alla TV?
ケ コザ スタンノ グアルダンド アッラ ティーヴ

彼らはテレビで何を観ているの？

これも知っておこう!

『Che ～ è?』『Che ～ sono?』のように、『Che』の後に名詞をつなげることもできます。

Che giorno è oggi?
ケ ジョルノ エ オッジ
今日は何日ですか？

Che animali sono?
ケ アニマーリ ソーノ
何の動物だろう？

Che tipo di persona è?
ケ ティーポ ディ ペルソーナ エ
どういうタイプの人なの？

15 何が〜ですか？

Qual è 〜?

基本フレーズ

Qual è il tuo piatto preferito?
クアレ エ イル トゥオ ピアット プレフェリート
好きな料理は何ですか？

こんなときに使おう！
メニューを見ながら…

　『Qual è 〜?』または『Quali sono 〜?』は、「何が〜ですか？」という表現です。「どちら／どれが〜ですか？」と、選択肢があることに対して用いられます。

　『Qual è 〜?』『Quali sono 〜?』と聞かれたら、『È la pizza margherita.（マルゲリータ・ピザです）』などのように答えます。

基本パターン

| Qual è
Quali sono | + | 名詞の単数形
名詞の複数形 | ? |

基本パターンで言ってみよう!

Qual è il mio?
<ruby>クアレ エ イル ミオ</ruby>

どっちが私の？

Qual è il tuo hobby?
<ruby>クアレ エ イル トゥオ オッビイ</ruby>

趣味は何ですか？

Qual è il tuo numero di telefono?
<ruby>クアレ エ イル トゥオ ヌメロ ディ テレーフォノ</ruby>

あなたの電話番号は何番ですか？

Qual è la tua opinione?
<ruby>クアレ エ ラ トゥア オピニオーネ</ruby>

君の意見は？

Qual è la vostra casa?
<ruby>クアレ エ ラ ヴォストラ カーザ</ruby>

どれがあなたたちの家？

Qual è la differenza tra A e B?
<ruby>クアレ エ ラ ディッフェレンツァ トラ ア エ ビー</ruby>

AとBの違いは何ですか？

> ワンポイント 『la differenza tra A e B』AとBの違い

Quali sono i tuoi libri?
<ruby>クアーリ ソーノ イ トゥオイ リーブリ</ruby>

君の本はどれ？

Quali sono i vostri film preferiti?
<ruby>クアーリ ソーノ イ ヴォストリ フィルム プレフェリーティ</ruby>

あなたたちの好きな映画は何ですか？

応用

● 応用パターン ●

どちらを〜しますか？

Quale + 動詞の直説法現在 ?

応用パターンで言ってみよう！

Quale vuoi?
クアーレ ヴォイ

どちらがほしいですか？

Quale posso mangiare?
クアーレ ポッソ マンジャーレ

どれを食べればいいの？

Quale devo lavare?
クアーレ デーヴォ ラヴァーレ

どれを洗えばいいの？

Quale mi consigli?
クアーレ ミ コンシーリ

どっちがお勧め？

Quale libro devi prendere?
クアーレ リーブロ デーヴィ プレンデレ

どの本を買わないといけないの？

ワンポイント 『Quale』の後に名詞をつけることもできます。

Quale bevanda vuoi?
クアーレ ベヴァンダ ヴォイ

どの飲み物がいい？

⚠ これも知っておこう!

『Qual è』の後に、形容詞の比較級を持ってくることもできます。
『Qual è più + 形容詞 』で、「どれが 形容詞 ですか？」となります。

クアレ エ ピゥ カリーノ
Qual è più carino?

どっちがかわいい？

クアレ エ ピゥ アダット ア メ
Qual è più adatto a me?

私に適しているのはどれですか？

> ワンポイント 『adatto a ～』～に適している

クアレ エ メッリョ
Qual è meglio?

どっちがいいかな？

クアレ エイル ミリオーレ
Qual è il migliore?

どれが一番いいかな？

16 〜は誰？

Chi è 〜?

基本フレーズ

Chi è Marco?
（キ エ マルコ）
マルコって誰？

こんなときに使おう!
会話の途中に知らない名前が出てきて…

『Chi è 〜（単数)?』または『Chi sono 〜（複数)?』は、「〜は誰ですか？」という表現です。『Chi è [sono] 〜?』と聞かれたら、『È mio fratello.（私の兄です）』などのように答えます。

基本パターン

Chi è
Chi sono
+
名詞の単数形
名詞の複数形
?

基本パターンで言ってみよう!

Chi è lui?
キ エ ルイ

彼は誰？

Chi è il tuo professore?
キ エ イル トゥオ プロフェッソーレ

あなたの先生は誰？

Chi è?
キ エ

はい、どなた？

> **ワンポイント** インターフォンで答えるとき、このように言います。

Chi sono quelle signore?
キ ソーノ クエレ シニョーレ

あの女性たちは誰？

Chi è quel ragazzo con gli occhiali?
キ エ クエル ラガッツォ コン リ オッキアーリ

あのメガネの男の子は誰？

応　用

● 応用パターン1 ●

誰が〜しますか？

$$\boxed{\text{Chi}} + \boxed{\text{動詞の直説法現在}}\ ?$$

😃 応用パターンで言ってみよう!

Chi è il prossimo?
キ エ イル プロッシモ

次は誰？

Chi ha ragione?
キ ア ラジョーネ

誰が正しいの？

Chi parla?
キ パルラ

どなたですか？

> ワンポイント　電話でよくこの表現が用いられます。

Chi sono?
キ ソーノ

彼らは誰？

Chi beve il vino?
キ ベーヴェ イル ヴィーノ

ワインを飲むのは誰？

Chi vuole venire con me?
キ ヴオーレ ヴェニーレ コン メ

私と一緒に来るのは誰？

~は誰？／Chi è ~?

●応用パターン2●

誰が〜しましたか？

Chi + 助動詞 essere/avere + 動詞の過去分詞 ?

応用パターンで言ってみよう!

Chi ha fatto questo?
キ ア ファット クエスト
これは誰がやったんですか？

Chi l'ha detto?
キ ラ デット
誰がそう言ったの？

Chi ha pagato la cena?
キ ア パガート ラ チェーナ
誰が夕食代を払ったの？

Chi ha pulito la cucina?
キ ア プリート ラ クチーナ
誰がキッチンを掃除したの？

Chi ha mangiato la mia torta?
キ ア マンジャート ラ ミア トルタ
誰が私のケーキを食べたの？

17 ～はいつ?

Quando è ～?

基本フレーズ

Quando è il tuo compleanno?
クアンド エイルトゥオ コンプレアンノ
君の誕生日はいつ？

[こんなときに使おう!]
誕生日を聞きたいときに…

『Quando è ～?』は、「～はいつですか？」という表現です。『Quando è ～?』と聞かれたら、『È domani.（明日です）』や『È martedì.（火曜日です）』などのように答えます。

基本パターン

Quando è ＋ 名詞 ?

基本パターンで言ってみよう!

Quando è l'anniversario?
クアンド エ ランニヴェルサーリオ

記念日はいつ？

Quando è la prima lezione?
クアンド エ ラ プリマ レツィオーネ

最初の授業はいつ？

Quando è il giorno della partita?
クアンド エ イル ジョルノ デッラ パルティータ

試合の日はいつ？

Quando è la scadenza?
クアンド エ ラ スカデンツァ

締め切りはいつ？

応 用

● 応用パターン1 ●

いつ～しますか？

> Quando ＋ 動詞の直説法現在 ？

応用パターンで言ってみよう!

Quando torni?
（クアンド トルニ）
いつ戻るの？

Quando ci vediamo?
（クアンド チ ヴェディアーモ）
今度はいつ会おうか？

Quando vai in Giappone?
（クアンド ヴァイ イン ジャッポーネ）
いつ日本へ行くの？

Quando lo facciamo?
（クアンド ロ ファッチャーモ）
いつ、それをやろうか？

~はいつ？／Quando è ~?

●応用パターン2●

いつ〜しましたか？

Quando ＋ 助動詞 essere/avere ＋ 動詞の過去分詞 ?

応用パターンで言ってみよう!

クアンド　アイ　ヴィスト　マルコ
Quando hai visto Marco?

いつマルコに会ったの？

クアンド　アイ　サプート　クエスタ　コーザ
Quando hai saputo questa cosa?

いつ、このことを知ったの？

クアンド　ソーノ　アンダーティ　ア　トーキョー
Quando sono andati a Tokyo?

いつ彼らは東京に行ったの？

クアンド　アヴェーテ　パルラート　コン　レイ
Quando avete parlato con lei?

あなたたちは、いつ彼女と話したの？

I これだけは!! 絶対覚えたい重要パターン21

これも知っておこう! ——日時を表す単語

【月】

1月	Gennaio	7月	Luglio
2月	Febbraio	8月	Agosto
3月	Marzo	9月	Settembre
4月	Aprile	10月	Ottobre
5月	Maggio	11月	Novembre
6月	Giugno	12月	Dicembre

【日にち】

「1日＝il primo」以外は、数字をそのまま言います。「 冠詞 ＋ 日にち ＋ 月 」です。

例：
12月1日　　il primo Dicembre
12月12日　 il dodici Dicembre

【年月日】

「 冠詞 ＋ 日にち ＋ 月 ＋ 年 」です。
2010年5月5日　　il cinque Maggio duemila dieci（5/5/2010）

【曜日】

月曜日	lunedì
火曜日	martedì
水曜日	mercoledì

~はいつ？／Quando è ~?

木曜日	giovedì
金曜日	venerdì
土曜日	sabato
日曜日	domenica

【その他】

おととい	l'altro ieri
昨日	ieri
今日	oggi
明日	domani
あさって	dopodomani
先週	la settimana scorsa
今週	questa settimana
来週	la prossima settimana
先週の土曜日	il sabato scorso
今週の土曜日	questo sabato
来週の土曜日	il sabato prossimo
先月	il mese scorso
今月	questo mese
来月	il prossimo mese
午前中	in mattina
午後	nel pomeriggio
月曜日の午前中	lunedì mattina
月曜日の午後	lunedì pomeriggio

I これだけは!! 絶対覚えたい重要パターン21

18 ～はどこ?

Dove è ～?

基本フレーズ

Dove è lo zoo?
ドヴェ エ ロ ゾー

動物園はどこですか？

こんなときに使おう!

観光地で道を聞きたいときに…

『Dove è ［＝Dov'è］ ～?』は、「～はどこですか？」という表現です。『Dove è ～?』と聞かれたら、『È a destra.（右手にあります）』や『È a Kyoto.（京都にあります）』などのように答えます。

基本パターン

Dove è / Dove sono + 名詞の単数形 / 名詞の複数形 ?

基本パターンで言ってみよう!

Dove è Mario?
（ドヴェ エ マリオ）

マリオはどこ？

Dove è la stazione?
（ドヴェ エ ラ スタツィオーネ）

駅はどこですか？

Dove è la tua scuola?
（ドヴェ エ ラ トゥア スクオーラ）

君の学校はどこ？

Dove è la sede centrale?
（ドヴェ エ ラ セーデ チェントラーレ）

本社はどこですか？

Dove sono i miei occhiali?
（ドヴェ ソーノ イ ミエイ オッキアーリ）

私のメガネはどこ？

応用

● 応用パターン1 ●

どこで［に］〜しますか？

Dove ＋ 動詞の直説法現在 ？

応用パターンで言ってみよう!

Dove vai?
ドヴェ ヴァイ

どこに行くの？

Dove abiti?
ドヴェ アビティ

どこに住んでいるの？

Dove mangiamo stasera?
ドヴェ マンジャーモ スタセーラ

今夜はどこで食事しようか？

Dove vuoi parcheggiare?
ドヴェ ヴォイ パルケッジャーレ

どこに駐車するの？

〜はどこ？／Dove è 〜？

● 応用パターン2 ●

どこで［に］〜しましたか？

Dove ＋ 助動詞 essere/avere ＋ 動詞の過去分詞 ？

応用パターンで言ってみよう!

Dove sei stato?
<small>ドヴェ　セイ　スタート</small>

どこにいたの？

Dove sei andato oggi?
<small>ドヴェ　セイ　アンダート　オッジ</small>

今日はどこへ行ってきたの？

Dove hai comprato questo?
<small>ドヴェ　アイ　コンプラート　クエスト</small>

どこでこれを買ったの？

Dove hai lasciato il libro?
<small>ドヴェ　アイ　ラシャート　イル リーブロ</small>

どこに本を置いてきたの？

Dove hai visto i miei occhiali?
<small>ドヴェ　アイ　ヴィスト イ ミエイ オッキアーリ</small>

私のメガネをどこで見たの？

19 どうして〜？

Perché 〜?

基本フレーズ

Perché studi l'italiano?
（ペルケー ストゥーディ リタリアーノ）
どうしてイタリア語を学んでいるの？

こんなときに使おう！
語学学校の友達に…

『Perché + 動詞の直説法現在 ?』は、「どうして〜するのですか？」と理由を尋ねる表現です。

『Perché?』だけでもよく使います。

『Perché 〜?』と聞かれたら、同じように『Perché 〜』と答えます。

基本パターン

Perché ＋ 動詞の直説法現在 ?

基本パターンで言ってみよう！

Perché sei contento?
（ペルケー セイ コンテント）
なぜ喜んでいるの？

答え方 Perché ho trovato un lavoro.
仕事を見つけたからだよ。

Perché non hai fame?
どうしてお腹がすいていないの？

答え方 Perché ho mangiato tardi stamattina.
今朝は遅く食べたからだよ。

Perché torni a casa?
どうして家に帰るの？

答え方 Perché ho da fare.
やることがあるからだよ。

Perché pensi così?
どうしてそう思うの？

答え方 Perché Mario ha ragione.
マリオが正しいからだよ。

Perché vuoi vivere in Italia?
なぜイタリアに住みたいの？

答え方 Perché voglio studiare l'italiano.
イタリア語を学びたいからだよ。

応用

●応用パターン●

どうして〜したのですか？

Perché + 助動詞 essere/avere + 動詞の過去分詞 ?

応用パターンで言ってみよう!

Perché sei andato in ufficio?
ベルケー セイ アンダート イ ヌフィーチョ

どうしてオフィスに行ったの？

答え方 Perché ho dovuto lavorare.
ベルケー オ ドヴート ラヴォラーレ

仕事をしないといけなかったからだよ。

Perché sei andato a Napoli?
ベルケー セイ アンダート ア ナーポリ

どうしてナポリに行ったの？

答え方 Perché ho un amico a Napoli.
ベルケー オ ウ ナミーコ ア ナーポリ

ナポリに友達がいるからだよ。

Perché non hai chiamato Mario?
ベルケー ノ ナイ キアマート マリオ

どうしてマリオに電話しなかったの？

答え方 Perché mi sono dimenticato.
ベルケー ミ ソーノ ディメンティカート

忘れてたからだよ。

どうして〜？／Perché 〜?

⚠️ これも知っておこう!

『Perché + 動詞 + così + 形容詞 』で、「どうしてそんなに 形容詞 するの？」となります。

Perché sei così stanco?
ペルケー　セイ　コジ　スタンコ

どうしてそんなに疲れているの？

答え方　Perché non ho dormito ieri.
　　　　　ペルケー　ノ　ノ　ドルミート　イエリ

　　　　　昨日寝ていないからだよ。

Perché hai così fretta?
ペルケー　アイ　コジ　フレッタ

どうしてそんなに急いでいるの？

答え方　Perché ho un appuntamento.
　　　　　ペルケー　オ　ウ　ナップンタメント

　　　　　待ち合わせしているからだよ。

20 ～はどう?

Come va ～?

基本フレーズ

Come va il lavoro?
（コメ ヴァイル ラヴォーロ）
仕事はどう？

こんなときに使おう！
新しい職に就いた友人に…

『Come va ～?』は、「～はどうですか？」という表現です。この場合の『va』は、「行く」という意味ではなく、「うまくいっている」という意味になります。

● 基本パターン ●

Come va ＋ 名詞 ?

基本パターンで言ってみよう!

コメ ヴァ
Come va?

元気?

答え方 スト ベーネ グラツィエ
Sto bene, grazie.

元気だよ、ありがとう。

ノン スト タント ベーネ
Non sto tanto bene.

あまり調子が良くないです。

コメ ヴァ ラ ヴィータ イン イターリア
Come va la vita in Italia?

イタリアでの暮らしはどう?

答え方 ミ トローヴォ ベニッシモ
Mi trovo benissimo.

とてもうまくいってるよ。

ワンポイント 『trovarsi bene』居心地がいい・うまくいく

ノ ネ マーレ
Non è male.

悪くないよ。

ファッチョ ファティーカ
Faccio fatica.

大変だよ。

コメ ヴァ イル ラッフレッドーレ
Come va il raffreddore?

風邪はどう?

答え方 ミ スト リプレンデンド
Mi sto riprendendo.

治りつつあるよ。

スタ ペッジョランド
Sta peggiorando.

悪くなってるんだ。

応 用

『Come + 動詞 ?』で、状態・方法・手段（「どのように」「どうやって」）を尋ねることもできます。

● 応用パターン1 ●

どのように（どうやって）〜するのですか？

Come ＋ 動詞の直説法現在 ?

応用パターンで言ってみよう!

コメ スタ トゥオ パードレ
Come sta tuo padre?
お父さんは元気？

> 答え方　スタ ベーネ グラツィエ
> Sta bene, grazie.
> 元気です、ありがとう。

コメ アンダーテ ア スクオーラ
Come andate a scuola?
学校にはどうやって行くの？

> 答え方　イ ナウトブス
> In autobus.
> バスで行きます。

コメ シ ウーザ クエスタ ラヴァトリーチェ
Come si usa questa lavatrice?
この洗濯機はどうやって使えばいいの？

> 答え方　テ ロ ディーコ スビト
> Te lo dico subito.
> すぐに教えるよ。
>
> ワンポイント te（あなたに）、lo（それを）

～はどう？／Come va ～?

I これだけは!! 絶対覚えたい重要パターン21

● 応用パターン2 ●

どのように（どうやって）〜したのですか？

Come ＋ 助動詞 essere/avere ＋ 動詞の過去分詞 ?

応用パターンで言ってみよう!

Come sei andato a Tokyo?
コメ セイ アンダート ア トーキョー

どうやって東京に行ったのですか？

答え方 Ho preso il Shinkansen.
オ プレーゾ イル シンカンセン

新幹線に乗りました。

Come vi siete conosciuti?
コメ ヴィ シエーテ コノシューティ

あなたたちはどうやって知り合ったの？

答え方 Ci siamo conosciuti in una festa.
チ シアーモ コノシューティ イン ウナ フェスタ

パーティーで知り合ったんだ。

Come sei riuscito a farlo?
コメ セイ リウシート ア ファルロ

どうやったらそんなことできたの？

答え方 Non è stato facile.
ノ ネ スタート ファーチレ

簡単じゃなかったよ。

21 〜はどれくらい？

Quanto 〜？

基本フレーズ

Quanto costa?
クアント コスタ
おいくらですか？

こんなときに使おう！
お店で値段を聞くときに…

『Quanto 〜?』は、「〜はどれくらいですか？」という表現です。『Quanto + 動詞 ?』または『Quanto + 名詞 + 動詞 ?』で、数量や状態（「いくつの」「どれくらいの」）を尋ねることができます。

● 基本パターン ●

Quanto / Quanto＋名詞 ＋ 動詞の直説法現在 ？

基本パターンで言ってみよう!

Quanto mangi?
(クアント マンジ)

どれくらい食べますか？

答え方 Mangio tanto.
(マンジョ タント)

たくさん食べます。

Mangio poco.
(マンジョ ポーコ)

少し食べます。

Quanto pesi?
(クアント ページ)

体重はどれくらいですか？

答え方 Peso 40 kg.
(ペーゾ クアランタ キーリ)

40キロです。

Quanto tempo ci vuole?
(クアント テンポ チ ヴオーレ)

どれくらい時間がかかりますか？

答え方 Dieci minuti.
(ディエチ ミヌーティ)

10分です。

応用

●応用パターン1●

どれくらい〜したのですか？

Quanto / Quanto＋名詞 ＋ 助動詞 essere/avere ＋ 動詞の過去分詞 ?

応用パターンで言ってみよう!

Quanto hai mangiato?
(クアント アイ マンジャート)

どれくらい食べたのですか？

答え方　Ho mangiato tanto.
(オ マンジャート タント)

たくさん食べました。

Ho mangiato poco.
(オ マンジャート ポーコ)

少しだけ食べました。

Quanto tempo è passato?
(クアント テンポ エ パッサート)

どれくらい経ちましたか？

答え方　Sono passati dieci minuti.
(ソーノ パッサーティ ディエチ ミヌーティ)

10分経ちました。

〜はどれくらい？／Quanto 〜?

● 応用パターン2 ●

どれくらい〜するのですか？

> Quanto
> Quanto＋名詞
> ＋
> 動詞の直説法未来 ?

応用パターンで言ってみよう!

Quanto ci vorrà?
クアント チ ヴォラ

どれくらいかかりますか？

答え方 Ci vorrà un'ora.
チ ヴォラ ウノーラ

1時間くらいかかるでしょう。

Quanto tempo ritarderà il treno?
クアント テンポ リタルデラ イル トレーノ

列車はどれくらい遅れますか？

答え方 Sarà in ritardo di un'ora.
サラ イン リタルド ディ ウノーラ

1時間くらい遅れます。

さらに応用

●Quanto è ~? / Quanti sono ~?（どれくらいですか？）

Quanti sono i bambini?
クアンティ ソーノ イ バンビーニ

子供たちは何人ですか？

答え方　Sono 5.
　　　　ソーノ チンクエ

　　　　5人です。

●Quanto viene ~?（おいくらですか？）

Quanto viene questo cappello?
クアント ヴィエネ クエスト カッペッロ

この帽子はおいくらですか？

答え方　Viene 15 euro.
　　　　ヴィエネ クインディチ エウロ

　　　　15ユーロです。

●Quanti anni ~?（何歳ですか？）

Quanti anni hai?
クアンティ アンニ アイ

あなたは何歳ですか？

答え方　Ho 17 anni.
　　　　オ ディチャセッテ アンニ

　　　　17歳です。

~はどれくらい？／Quanto ~?

●Quanto ci vuole ~?（どれくらいかかりますか？）

クアント　チ　ヴオーレ　ペル　アリヴァーレ　アッラ　スタツィオーネ
Quanto ci vuole per arrivare alla stazione?

駅までどれくらいかかりますか？

答え方
　　　チ　ヴオーレ　ウノーラ
　　Ci vuole un'ora.

　　1時間です。

●Quanto manca ~?（あとどれくらいですか？）

クアント　テンポ　マンカ　アンコーラ
Quanto tempo **manca** ancora?

あとどれくらい時間がかかりますか？

答え方
　　マンカノ　ディエチ　ミヌーティ
　　Mancano dieci minuti.

　　あと10分です。

I　これだけは!!　絶対覚えたい重要パターン21

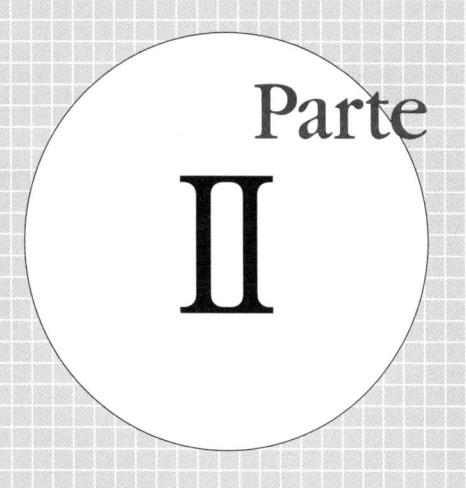

I

使える!
頻出パターン 51

Parte
II

22 〜したいのですが

Vorrei 〜

基本フレーズ

Vorrei prendere un caffè.
ヴォレイ プレンデレ ウン カッフェ
コーヒーをいただきたいのですが。

こんなときに使おう!
バールでコーヒーを飲みたいときに…

『Vorrei 〜』は、『Voglio 〜（〜がほしい）』の丁寧バージョンです。
『Vorrei + 動詞の原形 』で「〜したいのですが」となります。
　初対面やあまり親しくない人、目上の人に対して使います。
「できることなら〜したい」という意味合いも含まれます。

基本パターン

Vorrei ＋ 動詞の原形 .

~したいのですが／Vorrei ~

基本パターンで言ってみよう!

Vorrei avere il menu.
<ruby>ヴォレイ アヴェーレ イル メヌ</ruby>

メニューをいただきたいのですが。

Vorrei prendere il vino bianco.
<ruby>ヴォレイ プレンデレ イル ヴィーノ ビアンコ</ruby>

（ワインは赤か白か聞かれたときに）白ワインがいいです。

Vorrei avere una mappa della città.
<ruby>ヴォレイ アヴェーレ ウナ マッパ デッラ チッタ</ruby>

町の地図をください。

Vorrei comprare una macchina.
<ruby>ヴォレイ コンプラーレ ウナ マッキナ</ruby>

（できることなら）車を買いたいな。

Vorrei sentire la sua opinione.
<ruby>ヴォッレイ センティーレ ラ スア オピニオーネ</ruby>

あなたのご意見をお聞かせください。

Ⅱ 使える！頻出パターン51

23 〜はいかがですか?

Vuole 〜?

基本フレーズ

Vuole il vino bianco?
ヴオーレ イル ヴィーノ ビアンコ
白ワインはいかがですか？

こんなときに使おう!
夕食に招待したお客さんにワインを勧めるときに…

　『Vuole 〜?』は、『Vuoi 〜?（〜がほしい？）』の丁寧バージョンで、「〜はいかがですか？」と何かを勧めるときや要望を聞くときに使います。〜には、名詞 がきます。

　『Vuole 〜?』と聞かれたら、『Si, grazie.（はい、ぜひ）』『No, grazie.（いいえ、結構です）』などと答えましょう。

基本パターン

Vuole + 名詞 ?

～はいかがですか？／Vuole ～?

基本パターンで言ってみよう!

Vuole il dessert?
ヴオーレ イル デッセール

デザートはいかがですか？

ワンポイント 飲み物や食べ物を勧めるときは、『Gradisce ～?』という表現もよく用いられます。例：Gradisce il dessert?

Vuole un'altra bottiglia?
ヴオーレ ウナルトラ ボッティーリア

もうワンボトルいかがですか？

Vuole un bicchiere d'acqua?
ヴオーレ ウン ビッキエレ ダークア

お水を一杯いかがですか？

Vuole una copia?
ヴオーレ ウナ コピア

写しは必要ですか？

Vuole qualcos'altro?
ヴオーレ クアルコザールトロ

他に何かいりますか？

Che cosa vuole?
ケ コザ ヴオーレ

何がよろしいですか？

Ⅱ 使える！頻出パターン51

24 〜されますか？

Vuole 〜?

基本フレーズ

Vuole lasciare un messaggio?
ヴオーレ　ラシャーレ　ウン　メッサッジョ
ご伝言を残されますか？

こんなときに使おう！
電話をかけてきた相手の話したい人が不在のときに…

『Vuole 〜?』は、『Vuoi 〜?（〜したい？）』の丁寧バージョンで、「〜されますか？」と何かを勧めるときや要望を聞くときに使います。〜には、動詞の原形がきます。

『Vuole 〜?』と聞かれたら、『Si, volentieri.（はい、ぜひ）』『Certamente.（もちろん）』『No, grazie.（いいえ、結構です）』『No, non me la sento.（いいえ、気が乗りません）』などと答えましょう。

基本パターン

Vuole ＋ 動詞の原形 ？

~されますか？／Vuole ~?

基本パターンで言ってみよう!

ヴォーレ ヴェニーレ コン ノイ
Vuole venire con noi?

私たちと一緒にいらっしゃいますか？

ヴォーレ リポザルシ アンコーラ
Vuole riposarsi ancora?

もう少し休まれますか？

ヴォーレ マンジャーレ クアルコザールトロ
Vuole mangiare qualcos'altro?

何か他に召し上がりますか？

コザ ヴォーレ ダ ベーレ
Cosa vuole da bere?

何をお飲みになりますか？

コザ ヴォーレ ファーレ スタセーラ
Cosa vuole fare stasera?

今夜は何をしたいですか？

ドヴェ ヴォーレ アンダーレ ドマーニ
Dove vuole andare domani?

明日はどこへ行きたいですか？

25 ～してみたいです

Mi piacerebbe ～

基本フレーズ

ミ　　　ピアチェレッベ　　ヴィーヴェレインイターリア
Mi piacerebbe vivere in Italia.
イタリアに住んでみたいです。

こんなときに使おう！
今やってみたいことは何かと聞かれて…

『Mi piacerebbe ～』は、「～がしてみたい」または「～できればよいのだが」という表現です。『Mi piace ～（が好きです）』とは別の意味になるので気をつけましょう！

基本パターン

Mi piacerebbe ＋ 動詞の原形 .

〜してみたいです／Mi piacerebbe 〜

基本パターンで言ってみよう!

ミ　　ピアチェレッベ　　　アンダーレ　インイターリア
Mi piacerebbe andare in Italia.

イタリアへ行ってみたいです。

ミ　　ピアチェレッベ　　　プロヴァーレ　ラ　クチーナ　　ジャッポネーゼ
Mi piacerebbe provare la cucina giapponese.

日本食を食べてみたいです。

ワンポイント 初めて何かをするときには、動詞『provare（試す）』がよく用いられます。

ミ　　ピアチェレッベ　　　パルラーレ　　コン　ルイ
Mi piacerebbe parlare con lui.

彼と話してみたいです。

ミ　　ピアチェレッベ　　　インパラーレ　　リタリアーノ
Mi piacerebbe imparare l'italiano.

イタリア語を習ってみたいです。

ミ　　ピアチェレッベ　　　レッジェレ　クエル　リーブロ
Mi piacerebbe leggere quel libro.

あの本を読んでみたいです。

ミ　　ピアチェレッベ　　　ヴィジターレ　イル　ドゥオーモ
Mi piacerebbe visitare il Duomo.

ドゥオモを訪れてみたいです。

26 ～するのはどう?

Che ne dici di ～?

基本フレーズ

Che ne dici di andare al cinema?
（ケ ネ ディーチ ディ アンダーレ アル チネマ）
映画に行くのはどう？

こんなときに使おう!
今夜何をしようか話しているときに…

『Che ne dici di ～?』は、「～するのはどう？」と何かを提案するときに使う表現です。

～には、名詞 か 動詞の原形 がきますが、物を提案するときには 名詞 、動作を提案するときには 動詞の原形 となります。

『Che ne dici di ～?』と聞かれたら、『Volentieri.（ぜひ）』『Va bene.（いいよ）』『È una buona idea.（いい案だね）』『Meglio di no.（やめておいたほうがいいよ）』などと答えましょう。

基本パターン

Che ne dici di ＋ 名詞 ？
　　　　　　　　 動詞の原形 ？

〜するのはどう？／Che ne dici di 〜?

基本パターンで言ってみよう!

Che ne dici?
ケ ネ ディーチ

あなたはどう思う？

Che ne dici del colore rosso?
ケ ネ ディーチ デル コローレ ロッソ

赤色のはどう？

Che ne dici della mia nuova pettinatura?
ケ ネ ディーチ デッラ ミア ヌオーヴァ ペッティナトゥーラ

私の新しいヘアスタイルどうかしら？

Che ne dici di prendere una pausa?
ケ ネ ディーチ ディ プレンデレ ウナ パウザ

一休みするのはどう？

Che ne dici di prendere un caffè insieme?
ケ ネ ディーチ ディ プレンデレ ウン カッフェ インシエメ

一緒にコーヒーでもどう？

Che ne dici di andare a fare una passeggiata?
ケ ネ ディーチ ディ アンダーレ ア ファーレ ウナ パッセッジャータ

散歩に行くのはどう？

Ⅱ 使える！頻出パターン51

27 ～したらどう?

Perché non ～?

基本フレーズ

Perché non ti riposi un po'?
ペルケー ノン ティ リポージ ウン ポ

少し休んだらどう？

こんなときに使おう!

疲れた顔をした友人に…

『Perché non ～?』は、「～したらどう？」と相手に何かを促す表現です。何かをアドバイスするときなどに使います。～には 動詞の直説法現在 がきます。

『Perché non ～?』と聞かれたら、『Volentieri.（ぜひ）』『Hai ragione.（その通りですね）』『No, va bene così.（いいえ、このままでいいです）』などと答えましょう。

基本パターン

Perché non ＋ 動詞の直説法現在 ?

〜したらどう？／Perché non 〜?

基本パターンで言ってみよう!

Perché non ci provi?
試してみたらどう？

Perché non vai a rinfrescarti?
リフレッシュしてきたらどう？

Perché non proviamo il sushi?
寿司を食べてみない？

> ワンポイント　主語を『noi』にすると、「〜しませんか？」と誘う表現になります。

Perché non andiamo in quel ristorante buono?
あのおいしいレストランに行かない？

Perché non lo facciamo insieme domani?
明日一緒にそれをやるのはどう？

Perché non prendi le ferie per qualche giorno?
何日か休みをとったら？

> ワンポイント　ちょっと心配して言っているようなイントネーションになります。

28 〜しよう

〜iamo

基本フレーズ

アンディアーモ イン マッキナ
Andiamo in macchina.
車で行こうよ。

こんなときに使おう!

車か電車かで迷っているときに…

会話の中で『 動詞の一人称複数 』を用いると、「〜しよう」という表現になります。

言い方によって、ニュアンスが違ってきます。例えば、『Andiamo!（行こうよ！）』だと話し手が主導的になりますが、『Andiamo?（行かない？）』と疑問符をつけて言うと、相手の気持ちを尊重しながら誘う表現になります。

基本パターン

〜iamo（動詞の一人称複数）．

~しよう／~iamo

基本パターンで言ってみよう!

Ci vediamo a scuola.
学校で会いましょう。

Andiamo a salutare i vicini.
お隣に挨拶しに行こう。

Andiamo a fare una passeggiata?
散歩しに行かない？

Facciamo come si deve.
きちんとやろう。

Andiamo fuori!
外に出よう！

Finiamo questo lavoro entro stasera.
この仕事を今夜中に終わらせよう。

Ci sentiamo nei prossimi giorni.
近日中に連絡をとり合いましょう。

29 ～じゃないかな

Credo che ～

基本フレーズ♪

Credo che sia a scuola.
クレド　ケ　シア　ア　スクオーラ

彼は学校にいるんじゃないかな。

こんなときに使おう!

友達の居場所を聞かれたときに…

『Credo che + 動詞の接続法現在 』は、「～と思われる」と予想を述べるときや、「～だと思います」と意見を述べるときに使います。

接続法は、自分の考えや推測を述べるときに、『Credo che』の後にくる文章の動詞に用いられます。

●基本パターン●

Credo che ＋ 動詞の接続法現在 .

接続法現在

	essere（いる）	avere（持つ）	andare（行く）
私	sia	abbia	vada
あなた	sia	abbia	vada
彼／彼女	sia	abbia	vada
私たち	siamo	abbiamo	andiamo
あなたたち	siate	abbiate	andiate
彼ら／彼女たち	siano	abbiano	vadano

※よく使う不規則動詞の例

~じゃないかな／Credo che ~

基本パターンで言ってみよう!

クレド ケ シア シンパティコ
Credo che sia simpatico.

彼は感じのいい人だと思うな。

クレド ケ アッビア ラジョーネ
Credo che abbia ragione.

彼が正しいんじゃないかな。

クレド ケ シア ウナ ブラーヴァ ペルソーナ
Credo che sia una brava persona.

彼はいい人なんじゃないかな。

クレド ケ レイ ヴェンガ コン ノイ
Credo che lei venga con noi.

彼女は僕たちと一緒に来るんじゃないかな。

クレド ケ シ コノースカノ
Credo che si conoscano.

彼らは知り合いだと思うよ。

ワンポイント 『conoscersi』(お互いに) 知り合う

30 〜だといいね

Spero che 〜

基本フレーズ 🎵

スペーロ　ケ　ヴァーダ　ベーネ
Spero che vada bene.
うまくいくといいね。

こんなときに使おう！
試験に臨む友達を励ますときに…

　『Spero che ＋ 動詞の接続法現在 』は、「〜するといいのだけど」と、希望を表す表現です。
　『Speriamo che ＋ 動詞の接続法現在 』にすると、「〜するといいね」と、相手を気遣いたいときの表現にもなります。
　接続法は、希望や喜怒哀楽の感情などを表すときに、『Spero che』の後にくる動詞に用いられます。

基本パターン

Spero che ＋ 動詞の接続法現在 .

~だといいね／Spero che ~

基本パターンで言ってみよう!

Spero che lei sia felice.
（スペロ ケ レイ シア フェリーチェ）
彼女が幸せだといいな。

Spero che sia così.
（スペロ ケ シア コジ）
そうだといいけど。

Spero che sia contento del mio regalo.
（スペロ ケ シア コンテント デル ミオ レガーロ）
私のプレゼントを喜んでくれるといいな。

応 用

自分のことについての希望を表すときは、『Spero di + 動詞の原形』となります。

Spero di trovare lavoro.
（スペロ ディ トロヴァーレ ラヴォーロ）
仕事が見つかるといいな。

Spero di arrivare alle 8.
（スペロ ディ アリヴァーレ アッレ オット）
8時に着けたらいいな。

Spero di vederti presto.
（スペロ ディ ヴェデルティ プレスト）
近いうちにあなたに会えるといいな。

31 前は〜だったよ

動詞の直説法半過去

基本フレーズ ♪

プリマ　フマーヴォ
Prima fumavo.
前はたばこを吸っていたよ。

こんなときに使おう!
「たばこは吸う？」と聞かれて…

『 動詞の直説法半過去 』は、「以前、 主語 は〜だった」という表現です。

『Prima（前は）+ 動詞の直説法半過去 』にすると、「今は違うけど、前は〜だった」という意味が強調されます。

● 基本パターン ●

　　　　　　　動詞の直説法半過去 ．

前は〜だったよ／動詞の直説法半過去

基本パターンで言ってみよう!

プリマ ベヴェーヴァ モルト
Prima beveva molto.

彼は前かなり飲んでいたよ。

ラヴォラーヴァ モルト イン クエッラズィデンダ
Lavorava molto in quell'azienda.

彼はあの会社でよく働いていたよ。

チ メッテーヴォ ウノーラ ペル アンダーレ ア ラヴォラーレ
Ci mettevo un'ora per andare a lavorare.

1時間かけて通勤していました。

ルイ ミ ピアチェーヴァ
Lui mi piaceva.

彼のことが好きでした。

アドラーヴォ クエル カーネ
Adoravo quel cane.

あの犬が大好きでした。

ワンポイント 『adorare』〜が大好きだ

32 ～させて

Lasciami ～

基本フレーズ

Lasciami fare.
ラーシャミ　ファーレ
私にやらせて。

こんなときに使おう！
困っている相手に…

　『Lasciami＋ 動詞の原形 』は、「～させてください」という表現です。『lascia（～させて）mi（私に）』は命令法と呼ばれる、依頼や命令などを伝えるための動詞の活用形です。まずはこの表現だけ覚えましょう。

　「～させてもらえますか？」と相手の意向を聞くというよりは、「～させて」という一方的なニュアンスがあります。

基本パターン

Lasciami ＋ 動詞の原形 ．

〜させて／Lasciami 〜

基本パターンで言ってみよう!

Lasciami finire questo.
ラーシャミ　フィニーレ　クエスト

これを終えさせて。

Lasciami parlare con lui.
ラーシャミ　パルラーレ　コン　ルイ

彼と話させて。

Lasciami andare.
ラーシャミ　アンダーレ

行かせて。

Lasciami stare.
ラーシャミ　スターレ

ほうっておいて。

ワンポイント 『lasciare stare 〜』〜をほうっておく

Lasciami dire.
ラーシャミ　ディーレ

言わせて。

Lasciami andare con lei.
ラーシャミ　アンダーレ　コン　レイ

彼女と行かせて。

Ⅱ 使える！頻出パターン51

33 〜をありがとう

Grazie di/per 〜

基本フレーズ

Grazie per il regalo!
(グラツィエ ペル イル レガーロ)
プレゼントをありがとう！

こんなときに使おう!
誕生日にプレゼントをもらって…

『Grazie di/per 〜』は、「〜をありがとう」という表現です。名詞の前には『di/per』がきますが、どちらを用いても意味は変わりません。

『Grazie mille』と言うと、「ありがとうございます」や「本当にありがとう」という意味になります。

基本パターン

Grazie ＋ di/per ＋ 名詞 .

~をありがとう／Grazie di/per ~

基本パターンで言ってみよう!

グラツィエ　デッラ　トゥア　レッテラ
Grazie della tua lettera.

手紙をありがとう。

グラツィエ　ペル　ラ　ジェンティレッツァ
Grazie per la gentilezza.

親切にしてくれて、ありがとう。

グラツィエ　ミッレ　デル　ベッリッシモ　レガーロ
Grazie mille del bellissimo regalo.

素敵なプレゼントをありがとうございます。

グラツィエ　デッラ　キアマータ
Grazie della chiamata.

電話してくれてありがとう。

グラツィエ　ペル　ルーティレ　コンシーリオ
Grazie per l'utile consiglio.

気のきいたアドバイスをありがとう。

グラツィエ　ペル　イル　ペンシエロ
Grazie per il pensiero.

お気遣いありがとう。

これも知っておこう!

何かを頼んで、その目的が達成できなかった場合には、『Grazie lo stesso.（とにかくありがとう）』と言いましょう。探し物をしているときなど、何かを手伝ってもらったときは、結果がどうであれ、とりあえずお礼を言いますよね。そんなときにぴったりの表現です。

34 ～してごめんね

Scusami ～

基本フレーズ

Scusami del ritardo.
スクーザミ デル リタールド
遅れてごめんね。

こんなときに使おう！
待ち合わせ時間に遅れたときに…

『Scusami ～』は、「～してごめんね」という表現です。

「～してすみません」と、丁寧に言うときは『Mi scusi ～』となります。名詞の前には『di/per』、動詞の前には『che/se』がきますが、どちらを用いても意味は変わりません。

お店などで「すみません」と呼びかけるときには、『Scusi.』と言います。

『Scusami ～』と謝られたときは、『Fa niente.（いいんですよ）』などと言いましょう。

基本パターン

Scusami（ごめんね）
Mi scusi（すみません）
＋
di/per＋名詞 ．
che/se＋動詞 ．

～してごめんね／Scusami ～

基本パターンで言ってみよう!

Mi scusi del disturbo.
_{ミ スクージ デル ディストゥールボ}
お邪魔してすみません。

Scusami tanto!
_{スクーザミ タント}
本当にごめんね！

Scusami che non te l'ho detto prima.
_{スクーザミ ケ ノン テ ロ デット プリマ}
もっと前に言わなくてごめんね。

Scusami se non sono disponibile.
_{スクーザミ セ ノン ソーノ ディスポニービレ}
役に立てなくてごめんね。

> ワンポイント 『essere disponibile』要求に応じる、都合をつける

これも知っておこう!

「もし～ならごめんなさい」と言うときには、『Scusami se ～』となります。

Scusami se non ti piace.
_{スクーザミ セ ノン ティ ピアーチェ}
気に入らなかったらごめんなさい。

Scusami se ti ho ferito.
_{スクーザミ セ ティ オ フェリート}
傷つけてしまったならごめんなさい。

Ⅱ 使える！頻出パターン51

35 〜じゃない？

Non è 〜?

基本フレーズ

Non è troppo tardi?
ノ ネ トロッポ タルディ
遅すぎない？

こんなときに使おう!
夜遅くに誰かに電話をしようとしている相手に…

　『Non è 〜』は、「〜じゃない？」という表現です。〜には形容詞か名詞がきます。

　『Non è 〜?』と聞かれたら、『Sì.（そうです）』『No.（いいえ）』『No, va bene.（いや、大丈夫だよ）』などと答えましょう。

基本パターン

Non è ＋ 形容詞 ? / 名詞 ?

～じゃない？／Non è ～?

基本パターンで言ってみよう!

Non è divertente?
（ノ　ネ　ディヴェルテンテ）
おもしろくない？

Non è affascinante?
（ノ　ネ　アッファッシナンテ）
魅力的じゃない？

Non è costoso?
（ノ　ネ　コストーゾ）
高くない？

Non è pericoloso?
（ノ　ネ　ペリコローゾ）
危なくない？

Non è faticoso?
（ノ　ネ　ファティコーゾ）
大変じゃない？

Non è gratuito?
（ノ　ネ　グラトゥーイト）
ただじゃないの？

36 そんなに〜じゃないよ

Non è così 〜

基本フレーズ

Non è così difficile.
ノ ネ コジ ディッフィーチレ

そんなに難しいことじゃないよ。

こんなときに使おう!
相手を励ますときに…

『Non è così + 形容詞 』は、「そんなに〜じゃない」という表現です。

『Lei non è così cattiva.（彼女はそんなに悪い人じゃないよ）』など、主語をつけて言うこともできます。

基本パターン

Non è così ＋ 形容詞 .

基本パターンで言ってみよう!

Non è così facile.
ノ ネ コジ ファーチレ

そんなに簡単じゃないよ。

そんなに〜じゃないよ／Non è così 〜

Non è così economico.
ノ ネ コジ エコノーミコ

そんなに安くはないよ。

Non è così lontano.
ノ ネ コジ ロンターノ

そんなに遠くないよ。

Lui non è così antipatico.
ルイ ノ ネ コジ アンティパーティコ

彼はそんなに無愛想じゃないよ。

Non è così bello quel ragazzo.
ノ ネ コジ ベッロ クエル ラガッツォ

あの子はそんなにかっこよくないよ。

ワンポイント　このように主語は最後につけることもできます。

応 用

『Non è così 〜』のフレーズの後に、『come pensi（あなたが思うほど）』を加えると、「あなたが思っているほど〜じゃない」という表現になります。

Non è così costoso come pensi tu.
ノ ネ コジ コストーゾ コメ ペンシ トゥ

あなたが思ってるほど、高くはないよ。

Non è così strano come pensi.
ノ ネ コジ ストラーノ コメ ペンシ

あなたが思ってるほど、変じゃないよ。

37 ～すぎるよ
È troppo ～

基本フレーズ

È troppo grande.
（エ トロッポ グランデ）
大きすぎるよ。

こんなときに使おう!
お店で服のサイズを選んでいるときに…

『È troppo + 形容詞 』は、「～すぎる」という表現です。
『Questa giacca è troppo grande.（このジャケットは大きすぎるよ）』
など、主語をつけて言うこともできます。

基本パターン

È troppo ＋ 形容詞 .

基本パターンで言ってみよう!

È troppo.
（エ トロッポ）
多すぎるよ。

~すぎるよ/È troppo ~

È troppo difficile.
エ　トロッポ　ディッフィーチレ

難しすぎるよ。

È troppo costoso.
エ　トロッポ　コストーゾ

高すぎるよ。

È troppo freddo fuori.
エ　トロッポ　フレッド　フオリ

外は寒すぎるよ。

È troppo bello quel film!
エ　トロッポ　ベッロ　クエル　フィルム

あの映画は最高だね！

（ワンポイント）このように、最上級の褒め言葉にもなります。

応　用

『È troppo + 形容詞 + per + 動詞の原形 』で、「 形容詞 すぎて 動詞 できない」という表現になります。

È troppo pesante per me.
エ　トロッポ　ペザンテ　ペル　メ

重すぎるよ。

Sono troppo stanco per uscire.
ソーノ　トロッポ　スタンコ　ペル　ウシーレ

疲れすぎてて外出できないよ。

38 〜しないの？

Non＋動詞の直説法現在？

基本フレーズ

Non capisci?
ノン カピーシ
わからないの？

こんなときに使おう！
パソコンの操作で困っている相手に…

『Non＋動詞の直説法現在?』は、「〜しないの？」という表現です。『Non 〜?』と聞かれて、「〜するよ」と言うときは『Sì.（はい）』『Penso di sì.（するつもりです）』、「〜しないよ」と言うときは『No.（いいえ）』『Non lo so.（わかりません）』などと答えます。

基本パターン

Non ＋ 動詞の直説法現在 ？

基本パターンで言ってみよう！

Non hai la chiave?
ノ ナイ ラ キアーヴェ
鍵を持ってないの？

~しないの？／Non＋動詞の直説法現在?

ノン ロ ヴォイ ファーレ
Non lo vuoi fare?

やりたくないの？

ノン ベーヴィル ヴィーノ
Non bevi il vino?

ワインは飲まないの？

ノン テ ロ リコルディ
Non te lo ricordi?

覚えてないの？

ノン ヴァイ ア ラヴォラーレ イン マッキナ
Non vai a lavorare in macchina?

車で通勤しているんじゃないの？

ノン ラヴォーリ イン バンカ
Non lavori in banca?

銀行で働いているんじゃないの？

応用

『Non＋ 動詞 ＋più?』で、「もう 動詞 しないの？」という表現になります。

ノン マンジ ピゥ
Non mangi più?

もう食べないの？

ノン ヴィーヴィ ピゥ コン ルイ
Non vivi più con lui?

もう彼と暮らしていないの？

39 ～しなかったの？

Non＋ 動詞の直説法近過去 ？

基本フレーズ

Non hai fatto la colazione?
（ノ ナイ ファット ラ コラツィオーネ）
朝ごはんを食べなかったの？

こんなときに使おう！
朝から元気がない友人に…

『Non＋ 動詞の直説法近過去 ?』は、「～しなかったの？」という表現です。『Non ～?』と聞かれて、「～したよ」と言うときは『Sì.（はい）』、「～しなかったよ」と言うときは『No.（いいえ）』などと答えます。

● 基本パターン ●

Non ＋ 助動詞 essere/avere ＋ 動詞の過去分詞 ？

〜しなかったの？／Non＋動詞の直説法近過去？

基本パターンで言ってみよう!

Non sei andato al cinema?
ノン セイ アンダート アル チネマ

映画に行かなかったの？

Non ti ha detto niente?
ノン ティ ア デット ニエンテ

彼はあなたに何も言わなかったの？

Non hai finito ancora?
ノン ナイ フィニート アンコーラ

まだ終わってないの？

Non hai ancora visto il professore?
ノン ナイ アンコーラ ヴィストイル プロフェッソーレ

まだ教授に会ってないの？

Non sono andati alla festa?
ノン ソーノ アンダーティ アッラ フェスタ

彼らはパーティーに行かなかったの？

Non hai prenotato l'albergo?
ノン ナイ プレノタート ラルベルゴ

ホテルは予約してないの？

40 ～かもしれない

Potrebbe ～

基本フレーズ

ポトレッベ　セルヴィルティ　ロンブレッロ
Potrebbe servirti l'ombrello.
傘が必要かもしれないよ。

こんなときに使おう!
出かける間際、雨が降りそうなときに…

『Potrebbe ＋ 動詞の原形 』は、「～かもしれない」と推測する表現で、確信が持てないときに使います。『potrebbe』は条件法という動詞の活用形です。条件法を用いると、丁寧な言葉遣いや、アドバイス・推測を伝えるなどといった、微妙なニュアンスの表現を作ることができます。

主語が人の場合には、動詞『potere』は下の活用表のようになります。

基本パターン

Potrebbe ＋ 動詞の原形 ．

	potereの条件法現在
私	potrei
あなた	potresti
彼／彼女	potrebbe
私たち	potremmo
あなたたち	potreste
彼ら／彼女たち	potrebbero

～かもしれない／Potrebbe ～

基本パターンで言ってみよう!

Potrebbe piovere domani.
ポトレッベ ピオーヴェレ ドマーニ
明日は雨が降るかもしれない。

Potrebbe essere vero.
ポトレッベ エッセレ ヴェーロ
本当かもしれないよ。

Potrebbe essere divertente.
ポトレッベ エッセレ ディヴェルテンテ
楽しいかもしれないよ。

Potreste essere d'accordo.
ポトレステ エッセレ ダッコールド
君たちは気が合うかもしれないよ。

Potresti conoscerlo.
ポトレスティ コノーシェルロ
君は彼を知っているかもしれないよ。

Potrei aspettare fino a domani.
ポトレイ アスペッターレ フィーノ ア ドマーニ
私は明日まで待てるかもしれない。

Potrebbero essere liberi di domenica.
ポトレッベロ エッセレ リーベリ ディ ドメーニカ
彼らは日曜日は空いているかもしれないよ。

41 〜すべきだよ

Dovresti 〜

基本フレーズ

ドヴレスティ　ファーレ　スポルト
Dovresti fare sport.
運動したほうがいいよ。

こんなときに使おう！
「体力がなくて…」という友人に…

『Dovresti ＋ 動詞の原形 』は、「 主語 は〜すべきだ」という表現です。人に何かを勧めるときや、アドバイスをするときに使います。

『dovereの条件法現在』には、「すべき」と次の42.の「はず」の2通りの意味があるので、会話の前後の文脈で判断しましょう。

基本パターン

Dovresti ＋ 動詞の原形 .

	dovereの条件法現在
私	dovrei
あなた	dovresti
彼／彼女	dovrebbe
私たち	dovremmo
あなたたち	dovreste
彼ら／彼女たち	dovrebbero

~すべきだよ／Dovresti ~

基本パターンで言ってみよう!

ドヴレスティ　プロヴァーレ　ウナ　ヴォルタ
Dovresti provare una volta.

一度試すべきだよ。

ドヴレイ　キエーデルティ　ウン　コンシーリオ
Dovrei chiederti un consiglio.

君にアドバイスを聞かなくちゃ。

ドヴレッベ　ズメッテレ　ディ　フマーレ
Dovrebbe smettere di fumare.

彼はたばこをやめるべきだよ。

ドヴレスティ　ズメッテレ　ディ　ラメンタルティ　センプレ
Dovresti smettere di lamentarti sempre.

いつも文句ばかり言っているのはやめるべきだよ。

ドヴレイ　アンダーレ　アル　レット　プレスト　スタセーラ
Dovrei andare al letto presto stasera.

今夜は早く寝なくちゃ。

ドヴレッベロ　パルラルネ　トラ　ディ　ローロ
Dovrebbero parlarne tra di loro.

彼らはそれについて話し合うべきです。

ワンポイント 『tra di loro』彼らの間で

42 ～するはずだよ

Dovrebbe ～

基本フレーズ

ドヴレッベ　アリヴァーレ　フラ　チルカ　ディエチ　ミヌーティ
Dovrebbe arrivare fra circa 10 minuti.
あと10分くらいで到着するはずだよ。

こんなときに使おう！

待ち合わせ時間に遅れる友人の伝言を伝えるときに…

『Dovrebbe + 動詞の原形 』は、「～なはずだ」という表現です。『dovereの条件法現在』には、41.の「すべき」と「はず」の2通りの意味があるので、会話の前後の文脈で判断しましょう。

『dovereの条件法現在』は、主語によって語形が変化します。41.の活用表を参考にしてください。

基本パターン

dovereの条件法現在 ＋ 動詞の原形 .

～するはずだよ／Dovrebbe ～

基本パターンで言ってみよう!

Dovrebbe andare bene.
うまくいくはずです。

Dovrebbe essere presente oggi.
彼は今日出席しているはずだよ。

Dovrebbe essere contento del risultato.
彼は結果に満足しているはずだよ。

Dovrebbero tornare entro stasera.
彼らは今夜までに戻るはずだよ。

Dovrebbe essere così.
そうなるはずです。

Dovrebbe arrivare un pacco dal Giappone.
日本から小包が届くはずです。

43 〜するはずでした

動詞の条件法過去

基本フレーズ

サレイ ジャ アリヴァート ア クエストーラ
Sarei già arrivato a quest'ora.
この時間にはもう着いているはずだったよ。

こんなときに使おう!
乗っている列車が大幅に遅れたときに…

『動詞の条件法過去』は、「〜するはずでした」という表現です。条件法の過去形は、少し難しい文法なので、慣れてきたら使ってみましょう。助動詞に『essere』を用いる動詞と『avere』を用いる動詞があるので、気をつけましょう！

基本パターン

助動詞essere/avereの条件法現在 ＋ 動詞の過去分詞

条件法過去

	助動詞にessereを用いる場合	助動詞にavereを用いる場合
私	sarei arrivato/a	avrei avuto
あなた	saresti arrivato/a	avresti avuto
彼／彼女	sarebbe arrivato/a	avrebbe avuto
私たち	saremmo arrivati/e	avremmo avuto
あなたたち	sareste arrivati/e	avreste avuto
彼ら／彼女たち	sarebbero arrivati/e	avrebbero avuto

〜するはずでした／動詞の条件法過去

基本パターンで言ってみよう!

サレイ　トルナート　ア　トーキョー　イエリ
Sarei tornato a Tokyo ieri.

昨日東京に戻るはずだったんだけど。

チ　サレンモ　インコントラーティ　アッレドゥエ
Ci saremmo incontrati alle 2.

2時に会うはずだったのですが。

ラブレイ　キアマート　オッジ　マ　ノン　ロ　ファット
L'avrei chiamato oggi, ma non l'ho fatto.

今日彼に電話するはずだったけど、しなかったわ。

アヴレッベ　ファット　クアルシアシ　コーザ　ペル　レイ
Avrebbe fatto qualsiasi cosa per lei.

彼は彼女のためなら何でもしたはずだよ。

アヴレイ　ヴォルート　フィニーレ イル ラヴォーロ　エントロ　レチンクエ
Avrei voluto finire il lavoro entro le 5.

5時までに仕事を終えたかったんだけど。

（ワンポイント）『entro le 数字』〜時までに

サレッベ　スタート　ア　カーザ　スタセーラ
Sarebbe stato a casa stasera.

彼は今夜、家にいるはずだったんだけど。

44 ～すればよかった

Avrei dovuto ～

基本フレーズ

Avrei dovuto ascoltarlo.
アヴレイ ドヴート アスコルタルロ

彼の言うことを聞けばよかったよ。

こんなときに使おう!

アドバイスを聞かなかったためにミスをしてしまったときに…

『Avrei dovuto + 動詞の原形 』は、「 主語 は～すべきだった」と後悔する表現です。少し難しい文法なので、慣れてきたら使ってみましょう。

「(あなたは)～すべきだった」と言うときは、『Avresti dovuto + 動詞の原形 』となります。これは41.「～すべきだよ」の過去バージョンです。

基本パターン

Avrei dovuto ＋ 動詞の原形 .

↓

	dovereの条件法過去
私	avrei dovuto
あなた	avresti dovuto
彼／彼女	avrebbe dovuto
私たち	avremmo dovuto
あなたたち	avreste dovuto
彼ら／彼女たち	avrebbero dovuto

～すればよかった／Avrei dovuto ～

基本パターンで言ってみよう!

_{アヴレイ ドヴート リングラツィアルラ}
Avrei dovuto ringraziarla.

彼女にお礼を言えばよかった。

_{アヴレイ ドヴート パルラルネ プリマ}
Avrei dovuto parlarne prima.

もっと前にそれについて話せばよかった。

_{アヴレスティ ドヴート スピエガルミ メッリョ}
Avresti dovuto spiegarmi meglio.

ちゃんと説明してくれればよかったのに。

_{アヴレイ ドヴート アッチェッターレ イル スオ インヴィート}
Avrei dovuto accettare il suo invito.

彼の誘いを受ければよかった。

これも知っておこう! ──〜してくれればよかったのに！

口語体で、とても親しい相手に「〜してくれればよかったのに」と言うときは、『Potevi + 動詞の原形 』とすることもできます。条件法過去より簡単なので、友人同士の会話などでよく用いられます。

_{ポテーヴィ ダルミ ウナ マーノ}
Potevi darmi una mano!

手を貸してくれればよかったのに！

_{メ ロ ポテーヴィ ディーレ}
Me lo potevi dire!

僕に言ってくれればよかったのに！

45 〜のはずがない

Non può 〜

基本フレーズ

ノン　プオ　エッセレ　ヴェーロ
Non può essere vero.
本当のはずがないよ。

こんなときに使おう!
テレビで信じられない映像を観て…

『Non può ＋ 動詞の原形 』は、「〜のはずがない」という表現です。「（彼は）〜できない」という意味もありますので、文脈からどちらの意味なのかを判断しましょう。

基本パターン

Non può ＋ 動詞の原形 .

~のはずがない／Non può ~

基本パターンで言ってみよう!

ノン ブオ エッセレ コジ ディッフィーチレ
Non può essere così difficile.

そんなに難しいはずがないよ。

ノン ブオ サペーレ イル ミオ インディリッツォ
Non può sapere il mio indirizzo.

彼が私の住所を知っているはずがないわ。

ノン ブオ エッセレ ウン ジャッポネーゼ
Non può essere un giapponese.

彼が日本人のはずがないよ。

ノン ブオ アヴェーレ ヴェン タンニ
Non può avere venti anni.

彼が20歳のはずがないよ。

ノン ブオ コノーシェルミ
Non può conoscermi.

彼が私を知っているはずがないわ。

ノン ブオ エッセレ ブオーノ
Non può essere buono.

おいしいはずがないよ。

46 ～に違いない

Deve essere ～

基本フレーズ

デーヴェ　エッセレ　ウン　ジャッポネーゼ
Deve essere un giapponese.
日本人に違いないよ。

こんなときに使おう！
外国人のパーティーで日本人らしき人を見かけて…

『Deve essere ～』は、「～に違いない」と推測する表現です。～には名詞または形容詞がきます。ほぼ確かなことを言うときに使います。

基本パターン

Deve essere ＋ 名詞・形容詞 ．

～に違いない／Deve essere ～

基本パターンで言ってみよう!

Deve essere Marco.
マルコに違いない。

Quella deve essere sua moglie.
あれは彼の奥さんに違いない。

Deve essere contento.
彼は喜んでいるに違いない。

Deve essere un errore.
間違っているに違いない。

Lui deve essere una persona simpatica.
彼は感じのいい人に違いない。

47 〜してください

〜, per favore

基本フレーズ

Mi passi il sale, per favore.
ミ パッシ イル サーレ ペル ファヴォーレ
お塩をとってください。

こんなときに使おう!
食事の席で…

『〜, per favore』は、「〜してください」という表現です。命令法などのフレーズの最後につけることで、丁寧にものを頼むことができます。命令法は、命令や依頼などを伝える動詞の活用形です。

最後ではなく、最初に『Per favore, 〜』とつけることもできます。

基本パターン

文章 + , per favore .

基本パターンで言ってみよう!

Aspetti un attimo, per favore.
アスペッティ ウ ナッティモ ペル ファヴォーレ
ちょっとお待ちください。

ワンポイント 電話などでよく使われる表現です。

~してください／~, per favore

Mi chiami verso le 5, per favore.
5時ごろに電話してください。

Può ripetere, per favore?
もう一度言ってくださいますか？

Parli lentamente, per favore.
ゆっくり話してください。

Chiami il professor Rossi, per favore.
ロッシ先生を呼んでください。

これも知っておこう!

『 名詞 , per favore.』だけで、「~をお願いします」という表現になります。

Il documento, per favore.
身分証明書をお願いします。

Un caffè, per favore.
コーヒーをお願いします。

Il conto, per favore.
お勘定をお願いします。

48 〜しないで

Non 〜

基本フレーズ

Non dire a nessuno.
ノン ディーレ ア ネッスーノ
誰にも言わないでね。

こんなときに使おう!
内緒の話をするときに…

『Non + 動詞の原形 』は、「〜しないで」という表現です。親しい相手に対して用いる表現です。

● 基本パターン ●

Non ＋ 動詞の原形 .

〜しないで／Non 〜

基本パターンで言ってみよう!

Non piangere.
ノン ピアンジェレ

泣かないで。

Non ti arrabbiare.
ノン ティ アラッビアーレ

怒らないで。

Non fare tardi.
ノン ファーレ タルディ

遅れないでね。

Non bere troppo.
ノン ベーレ トロッポ

飲みすぎないでね。

Non essere timido.
ノン エッセレ ティミド

恥ずかしがらないで。

Non ti preoccupare.
ノン ティ プレオックパーレ

心配しないで。

Non esagerare.
ノン エザジェラーレ

大げさにしないで。

Non ci mettere troppo tempo.
ノン チ メッテレ トロッポ テンポ

時間をかけすぎないようにね。

49 〜してもいい？

Posso 〜?

基本フレーズ

ポッソ　キアマルティ　ヴェルソ　レ ディエチ
Posso chiamarti verso le 10?
10時ごろに電話してもいい？

こんなときに使おう！
あとで電話することを知らせるときに…

『Posso＋ 動詞の原形 ?』は、「〜してもいい？」と許可を求める表現です。OKのときには、『Certo.（もちろん）』や『Sì, prego!（ええ、どうぞ）』などと答えます。またダメなときには、『No, mi dispiace.（いいえ、残念ですが）』や『No, non è consentito.（いいえ、それは許可されていません）』などと答えます。

基本パターン

Posso ＋ 動詞の原形 ?

基本パターンで言ってみよう！

ポッソ　ダルティ　ウナ　マーノ
Posso darti una mano?
手伝ってもいい？

ワンポイント 『dare una mano a 〜』〜を手伝う

~してもいい？／Posso ~?

Posso prendere un caffè?
コーヒーを飲んでもいい？

Posso cambiare la prenotazione?
予約を変更できますか？

Posso chiederti una cosa?
1つ聞いてもいい？

Posso parlare con Mario?
（電話の最初に）マリオさんをお願いできますか？

⚠️ これも知っておこう!

『Sì può + 動詞の原形 』で、「～はできますか？」のように、一般的に許可されているかどうかを確認する表現になります。

Sì può prendere in prestito?
借りることはできますか？

Sì può entrare in questo edificio?
この建物に入ることはできますか？

50 〜してもいいですか？

Potrei 〜?

基本フレーズ

ポトレイ アヴェーレ イル スオ　ヌメロ　ディ テレーフォノ
Potrei avere il suo numero di telefono?
お電話番号を伺ってもよろしいですか？

こんなときに使おう！
目上の人に連絡先を聞きたいときに…

『Potrei + 動詞の原形 ?』は、「〜してもいいですか？」と許可を求める表現です。

OKのときには、『Prego.（どうぞ）』や『Sì, certo che può.（もちろん、いいですよ）』などと答えます。またダメなときには、『No, mi dispiace.（いいえ、残念ですができません）』などと答えます。

基本パターン

Potrei ＋ 動詞の原形 ?

〜してもいいですか？／Potrei 〜?

基本パターンで言ってみよう！

Potrei entrare?
ポトレイ エントラーレ

入ってもいいですか？

Potrei venire con Lei?
ポトレイ ヴェニーレ コン レイ

ご一緒してもいいですか？

Potrei sedermi qua?
ポトレイ セデルミ クア

ここに座ってもいいですか？

Potrei aprire la finestra?
ポトレイ アプリーレ ラ フィネストラ

窓を開けてもいいですか？

Potrei avere il suo nome?
ポトレイ アヴェーレイル スオ ノーメ

（電話で）お名前を伺ってもよろしいですか？

Potrei decidere io?
ポトレイ デチーデレ イオ

私が決めてもいいですか？

51 〜してもらえない？

Puoi 〜?

基本フレーズ

Puoi aiutarmi?
（プオイ　アユタルミ）
助けてもらえない？

こんなときに使おう！
荷物が重すぎて持てないときに…

『Puoi + 動詞の原形 ?』は、「〜してもらえない？」という表現です。

OKのときには、『Va bene.（いいですよ）』や『Sì, certamente.（ええ、もちろん）』などと答えます。またダメなときには、『Mi dispiace ma non posso.（残念ですができません）』などと答えます。

丁寧に頼みたいときには、『Potresti + 動詞の原形 ?』と言いましょう。

基本パターン

Puoi + 動詞の原形 ?

～してもらえない？／Puoi ～?

基本パターンで言ってみよう!

Puoi farmi una foto?
（ブオイ ファルミ ウナ フォート）

写真をとってもらえない？

Puoi prendere il biglietto anche per me?
（ブオイ プレンデレ イル ビリエット アンケ ペル メ）

私の分もチケットをとってもらえない？

Puoi dirmi cos'è successo?
（ブオイ ディルミ コゼ スッチェッソ）

何が起こったのか言ってもらえる？

Puoi andarci al posto mio?
（ブオイ アンダルチ アル ポスト ミオ）

私の代わりにそこに行ってもらえない？

ワンポイント 『al posto di ～』 ～の代わりに

Puoi accompagnarmi fino alla stazione?
（ブオイ アッコンパニャルミ フィーノ アッラ スタツィオーネ）

駅まで一緒に来てもらえない？

Puoi parlare con lei?
（ブオイ パルラーレ コン レイ）

彼女と話してもらえない？

52 〜していただけませんか？

Potrebbe 〜?

基本フレーズ

ポトレッベ　リペーテルミ　アンコーラ
Potrebbe ripetermi ancora?
もう一度言っていただけませんか？

こんなときに使おう!
相手の言うことが聞き取れなかったときに…

　『Potrebbe + 動詞の原形 ?』は、「〜していただけませんか？」と丁寧に依頼する表現です。

　OKのときには、『Volentieri.（喜んで）』や『Sì, certamente.（ええ、もちろん）』などと答えます。またダメなときには、『Chiedo scusa, ma non posso.（申し訳ないのですが、できません）』などと答えます。

● 基本パターン ●

Potrebbe ＋ 動詞の原形 ?

〜していただけませんか？／Potrebbe 〜?

基本パターンで言ってみよう!

Potrebbe parlare più forte?
ポトレッベ　パルラーレ　ピゥ　フォルテ

大きな声で話していただけませんか？

Potrebbe aiutarmi?
ポトレッベ　アユタルミ

助けていただけませんか？

Potrebbe aspettare un attimo?
ポトレッベ　アスペッターレ　ウ　ナッティモ

少々お待ちいただけますか？

Potrebbe venire con me?
ポトレッベ　ヴェニーレ　コン　メ

一緒に来ていただけますか？

Potrebbe indicarmi la strada?
ポトレッベ　インディカルミ　ラ　ストラーダ

行き方を教えていただけますか？

Potrebbe dirmi dove siamo?
ポトレッベ　ディルミ　ドヴェ　シアーモ

（地図を見て）ここがどこだか教えていただけますか？

Ⅱ 使える！頻出パターン51

53 〜が必要です

Ho bisogno di 〜

基本フレーズ

オ　ビゾーニョ　デル　トゥオ　コンシーリオ
Ho bisogno del tuo consiglio.
あなたのアドバイスが必要です。

こんなときに使おう!
誰かに相談したいときに…

『Ho bisogno di 〜』は、「主語 には〜が必要だ」という表現です。〜が物の場合は 名詞 、動詞の場合は 動詞の原形 がきます。名詞 の場合は、diに冠詞がついて、del（男性単数）、della（女性単数）、dei/degli（男性複数）、delle（女性複数）のように変化します。

● 基本パターン ●

Ho bisogno di ＋ 名詞 .
　　　　　　　　動詞の原形 .

～が必要です／Ho bisogno di ～

基本パターンで言ってみよう!

オ　ビゾーニョ　ディ　トルナーレ　ア　カーザ
Ho bisogno di tornare a casa.

家に帰らないといけないんだ。

オ　ビゾーニョ　ディ　アンダーレ　イン　バンカ
Ho bisogno di andare in banca.

銀行に行かなきゃいけないの。

オ　ビゾーニョ　デイ　ソルディ
Ho bisogno dei soldi.

お金が必要なんだ。

オ　ビゾーニョ　デル　トゥオ　アユート
Ho bisogno del tuo aiuto.

君の助けが必要なんだ。

オ　ビゾーニョ　ディ　アヴェーレ　イル　スオ　ヌメロ　ディ　テレーフォノ
Ho bisogno di avere il suo numero di telefono.

彼女の電話番号が必要です。

アイ　ビゾーニョ　ディ　リポザルティ
Hai bisogno di riposarti.

君には休息が必要だよ。

54　～する必要があります

Bisogna ～

基本フレーズ

ビゾーニャ　マンジャーレ　スービト
Bisogna mangiare subito.
すぐに食べたほうがいいよ。

こんなときに使おう!
宅配ピザが届いたときに…

『Bisogna + 動詞の原形 』は、「～する必要がある」という表現です。主語をつけないので、53.に比べて、「～が必要だろう」という客観的な言い方になります。

● 基本パターン ●

Bisogna ＋ 動詞の原形 .

~する必要があります／Bisogna ~

基本パターンで言ってみよう！

Bisogna capire meglio.
ビゾーニャ　カピーレ　メッリョ

もっとよく理解する必要があるね。

Bisogna stare attenti.
ビゾーニャ　スターレ　アッテンティ

気をつけないといけないよ。

Bisogna farlo per domani.
ビゾーニャ　ファルロ　ペル　ドマーニ

明日までにやる必要があります。

Bisogna telefonare subito per prenotare.
ビゾーニャ　テレフォナーレ　スービト　ペル　プレノターレ

すぐに予約の電話をする必要があるよ。

Bisogna confermare la prenotazione.
ビゾーニャ　コンフェルマーレ　ラ　プレノタツィオーネ

予約を確認する必要があるよ。

Bisogna sapere la strada prima di partire.
ビゾーニャ　サペーレ　ラ　ストラーダ　プリマ　ディ　パルティーレ

出発前に道順を知っておく必要があるよ。

55 どんな〜？

Che tipo di 〜?

基本フレーズ

ケ ティーポ ディ フィルム ティ ピアーチェ
Che tipo di film ti piace?
どんな映画が好き？

こんなときに使おう！
映画に誘った相手に…

『Che tipo di + 名詞 〜?』は、「どんな〜？」と尋ねる表現です。〜には疑問文がきます。ジャンルを尋ねたり、種類を尋ねたりするときによく使います。名詞には冠詞がつかないので、注意しましょう！

基本パターン

Che tipo di ＋ 名詞 ＋ 疑問文 ?

基本パターンで言ってみよう！

ケ ティーポ ディ ラガッツァ エ
Che tipo di ragazza è?
どんな女の子なの？

どんな〜？／Che tipo di 〜?

Che tipo di musica ti piace?
どんな音楽が好き？

Che tipo di macchina vuoi comprare?
どんな車が買いたいの？

Che tipo di regalo pensi di fare?
どんなプレゼントをするつもり？

Che tipo di film è stato?
どんな映画だったの？

⚠ これも知っておこう!

「どのジャンルの〜？」と聞きたいときは、『Che genere di ＋ 名詞 〜?』と言うこともできます。

Che genere di musica ti piace?
どのジャンルの音楽が好き？

Che genere di libri leggi?
どのジャンルの本を読むの？

56 よく〜するの？

〜 spesso?

基本フレーズ

Vieni qua spesso?
ヴィエニ クア スペッソ
ここにはよく来るの？

こんなときに使おう!
偶然誰かに会ったときに…

『 動詞の直説法現在 +spesso?』は、「よく〜するの？」と頻度を尋ねる表現です。

基本パターン

動詞の直説法現在 ＋ spesso ?

基本パターンで言ってみよう！

Vi vedete spesso?
ヴィ ヴェデーテ スペッソ
君たちはよく会うの？

Mangiate fuori spesso?
マンジャーテ フオリ スペッソ
君たちはよく外食するの？

よく~するの？／~ spesso?

Vai a bere spesso?
<ruby>ヴァイ ア ベーレ スペッソ</ruby>

よく飲みに行くの？

Vai spesso in palestra?
<ruby>ヴァイ スペッソ イン パレストラ</ruby>

よくフィットネス・ジムに行くの？

Andate spesso all'estero?
<ruby>アンダーテ スペッソ アッレステロ</ruby>

君たちはよく海外へ行くの？

⚠ これも知っておこう！ ――頻度を表す単語・表現

una volta　一度　　　　　　　due volte　二度
una volta alla settimana　週に一度
tre volte al mese　月に三度
tutti i giorni / ogni giorno　毎日
ogni settimana　毎週　　　　　ogni mese　毎月
sempre　いつも　　　　　　　di solito　たいてい
spesso　よく　　　　　　　　qualche volta　時々
mai　一度も～ない

57 〜そうだね

Sembra 〜

基本フレーズ

Sembra buono.
（センブラ ブオーノ）
おいしそうだね。

こんなときに使おう!
相手が作った料理を見て…

『Sembra + 形容詞 』は、「〜そうだね」という表現です。
何かを見たときや、相手の話を聞いて感じたことを言うときに使います。

基本パターン

Sembra ＋ 形容詞 .

~そうだね／Sembra ~

基本パターンで言ってみよう!

Sembra interessante.
おもしろそうだね。

Sembra difficile.
難しそうだね。

Sembra pesante.
重そうだね。

Sembra complicato.
複雑そうだね。

Sembra noioso.
つまらなそうだね。

Sembra gentile.
親切そうだね。

Sembra particolare.
変わっていそうだね。

58 〜によるよ

Dipende da 〜

基本フレーズ

ディペンデ　ダル　テンポ
Dipende dal tempo.
天候によるよ。

こんなときに使おう！
明日出かけるかどうか聞かれて…

『Dipende da ＋ 名詞 』は、「〜による」という表現で、物事が何かに左右されるときに使います。

「人による」と言いたい場合には、『Dipende da ＋ 人 』と言います。

基本パターン

Dipende da ＋ 名詞 .

188

~によるよ／Dipende da ~

基本パターンで言ってみよう!

Dipende dalla condizione.
ディペンデ ダッラ コンディツィオーネ

条件によるよ。

Dipende da lei.
ディペンデ ダ レイ

彼女によるよ。

Dipende dalla sua opinione.
ディペンデ ダッラ スア オピニオーネ

彼の意見によるよ。

Dipende dal risultato.
ディペンデ ダル リズルタート

結果によるよ。

Dipende dal prezzo.
ディペンデ ダル プレッツォ

値段によるよ。

Dipende dal giorno.
ディペンデ ダル ジョルノ

日にちによるよ。

Dipende dalla sua disponibilità.
ディペンデ ダッラ スア ディスポニビリタ

彼の都合によるよ。

59 〜ってこと?

Vuol dire 〜?

基本フレーズ

ヴォル ディーレ ケ ア ラジョーネ
Vuol dire che ha ragione?
彼女が正しいってこと？

こんなときに使おう!
相談ごとをしたときに…

　『Vuol dire 〜?』は、さっき知ったばかりの事柄や、はっきりしない事柄について、「〜ってこと？」と確認する表現です。〜が物の場合は 名詞 、動作の場合は『che＋ 文章 』がきます。
　相手の言ったことに対して、『Vuoi dire 〜?』ということもできます。

● 基本パターン ●

Vuol dire ＋ 名詞 ?
　　　　　　che ＋ 文章 ?

〜ってこと？／Vuol dire 〜?

😊 基本パターンで言ってみよう!

ヴォル ディーレ ケ ノ ネイン カーザ
Vuol dire che non è in casa?

彼は家にいないってこと？

ヴォイ ディーレ ケ ディーチェ ウナ ブジーア
Vuoi dire che dice una bugia?

彼女は嘘を言ってるってこと？

ヴォル ディーレ ケ ヴァ ア ヴィーヴェレ イン イターリア
Vuol dire che va a vivere in Italia?

彼はイタリアに住むってこと？

ヴォル ディーレ オケイ
Vuol dire "OK"?

「OK」ってこと？

⚠ これも知っておこう!

『 名詞A + vuol dire + 名詞B ?』は、「AはBっていう意味？」のように、意味を聞く表現です。

ニッポン ヴォル ディーレ ジャッポーネ
"Nippon" vuol dire "Giappone"?

「ニッポン」は「日本」っていう意味？

アリガトウ ヴォル ディーレ グラーツィエ
"Arigatou" vuol dire "grazie"?

「アリガトウ」は、「グラツィエ」っていう意味？

Ⅱ 使える！頻出パターン51

60 〜だよね？

〜, vero?

基本フレーズ

Fa freddo oggi, vero?
ファ　フレッド　オッジ　ヴェーロ

今日って寒いよね？

こんなときに使おう!
「だよね？」と相手にも同意を求めるときに…

『〜, vero?』は、「〜だよね？」と自分の感じていることや思っていることに対して、相手の同意を求めたり、確認をしたりする表現です。

『〜, vero?』と言われたら、『Si, è vero.（そうだね）』または『No, non è vero.（いいえ、そうは思いません）』などと答えましょう。

基本パターン

文章　＋　, vero ?

~だよね？／~, vero?

基本パターンで言ってみよう!

Lavori in banca, vero?
ラヴォーリ イン バンカ ヴェーロ

銀行で働いてるんだよね？

Sei sposato, vero?
セイ スポザート ヴェーロ

結婚してるんだよね？

Lui non ti piace tanto, vero?
ルイ ノン ティ ピアーチェ タント ヴェーロ

彼のこと、あんまり好きじゃないでしょ。

State insieme, vero?
スターテ インシエメ ヴェーロ

君たちは付き合ってるんだよね？

> ワンポイント 『stare insieme』付き合う

L'hai lasciato, vero?
ライ ラシャート ヴェーロ

彼と別れたのよね？

> ワンポイント 『lasciare』~と別れる

Domani pioverà, vero?
ドマーニ ピオヴェラ ヴェーロ

明日は雨が降るんだよね？

61 〜はどんな感じ？

Come è 〜?

基本フレーズ

Come è il tuo ragazzo?
コメ エイルトゥオ ラガッツォ
あなたの彼ってどんな感じ？

こんなときに使おう!
友達の彼がどんな人なのかを知りたいときに…

『Come è + 名詞 ?』は、「〜はどんな感じ？」という表現です。複数形の場合は、『Come sono 〜?』となります。「〜はどんな感じだった？」と過去のことを聞きたいときには、過去形にして『Come è stato 〜?』などとします。

基本パターン

Come è ＋ 名詞 ?

〜はどんな感じ？／Come è 〜?

基本パターンで言ってみよう!

Come è il tempo?
天気はどんな感じ？

Come è suo marito?
彼女の旦那さんはどんな人？

Come è il sapore?
味はどう？

Come è la tua nuova macchina?
新しい車はどんな感じ？

Come sono i tuoi allievi?
あなたの生徒たちってどんな感じ？

Come è stato il suo matrimonio?
彼女の結婚式はどんな感じだった？

Come è stato il film?
映画はどんな感じだった？

62 〜はうまくいった？

Come è andato 〜?

基本フレーズ

Come è andato l'esame?
コメ エ アンダート レザーメ
試験はうまくいった？

こんなときに使おう！
最近試験を受けた友達に…

『Come è andato ＋ 名詞 ?』は、「〜はうまくいった？」または「〜はどうだった？」という表現です。女性名詞がくる場合は『Come è andata 〜?』となります。

良い結果や、いい知らせを期待しているときなどに使います。

基本パターン

Come è andato ＋ 名詞 ?

基本パターンで言ってみよう！

Come è andata?
コメ エ アンダータ
うまくいった？

〜はうまくいった？／Come è andato 〜?

Come è andata la prova?
コメ エ アンダータ ラ プローヴァ

テストはうまくいった？

> **ワンポイント** 『prova』はいろいろな確認のためのテストやチェックを指す言葉です。

Come è andata la presentazione?
コメ エ アンダータ ラ プレゼンタツィオーネ

発表はうまくいった？

Come è andata la partita?
コメ エ アンダータ ラ パルティータ

試合はどうだった？

Come è andato il colloquio?
コメ エ アンダート イル コッロークイオ

面接はうまくいった？

😃 応用パターンで言ってみよう！

『Come è finito 〜?』とすると、「〜はどんな風に終わった？」という表現になります。

Come è finita la partita?
コメ エ フィニータ ラ パルティータ

試合はどんな風に終わったの？

Come è finito il film?
コメ エ フィニート イル フィルム

映画はどんな感じに終わったの？

63 〜がんばってね!

Buona fortuna per 〜!

基本フレーズ

ボーナ　フォルトゥーナ　ペル　イル　コッロークイオ
Buona fortuna per il colloquio!
面接がんばってね！

こんなときに使おう！
会社の面接に行く知り合いに…

　『Buona fortuna per 〜!』は、「〜をがんばって！」という表現です。『Buona fortuna.』は、「幸運を祈ります」という意味ですが、日本語の「がんばって！」に当たる言葉です。『Forza!』と言うと、掛け声の「がんばれ！」になります。

基本パターン

Buona fortuna per ＋ 名詞 ！

〜がんばってね！／Buona fortuna per 〜!

基本パターンで言ってみよう!

Buona fortuna per domani!
ボーナ　フォルトゥーナ　ペル　ドマーニ

明日がんばってね！

Buona fortuna per il nuovo lavoro!
ボーナ　フォルトゥーナ　ペル　イル　ヌオーヴォ　ラヴォーロ

新しい仕事がんばって！

Buona fortuna per la presentazione!
ボーナ　フォルトゥーナ　ペル　ラ　プレゼンタツィオーネ

発表がんばってね！

Buona fortuna per la riunione!
ボーナ　フォルトゥーナ　ペル　ラ　リウニオーネ

会議がんばって！

Buona fortuna per la partita!
ボーナ　フォルトゥーナ　ペル　ラ　パルティータ

試合がんばって！

64 ～おめでとう!

Auguri per ～!

基本フレーズ

アウグーリ ペル ラ トゥア ラウレア
Auguri per la tua laurea!
卒業おめでとう！

こんなときに使おう！
卒業した友達に…

『Auguri per + 名詞 !』は、「～おめでとう！」という表現です。『Auguri!（おめでとう！）』だけでも使えます。

● 基本パターン ●

Auguri per ＋ 名詞 !

~おめでとう！／Auguri per ~!

基本パターンで言ってみよう!

Tanti auguri!
タンティ アウグーリ

本当におめでとう！

Auguri per il vostro matrimonio!
アウグーリ ペル イル ヴォストロ マトリモーニオ

結婚おめでとう！

Auguri per il tuo successo!
アウグーリ ペル イル トゥオ スッチェッソ

成功おめでとう！

Auguri per la nascita di tuo figlio!
アウグーリ ペル ラ ナッシタ ディ トゥオ フィーリオ

ご出産おめでとう！

これも知っておこう!

『Buon ~』で「~おめでとう」を表す場合もあります。季節の行事や、誕生日などには、『Buon ~』を使います。

Buon Natale!
ボン ナターレ

メリークリスマス！

Buon compleanno!
ボン コンプレアンノ

お誕生日おめでとう！

65 念のために〜

Per sicurezza 〜

基本フレーズ

Per sicurezza prendo una giacca.
（ペル シクレッツァ プレンド ウナ ジャッカ）
念のために、ジャケットを持っていこう。

こんなときに使おう！
夜分は冷え込みそうな日に…

『Per sicurezza 〜』は、「念のために〜」という表現です。『Per sicurezza』だけでも使えますが、文章の最初または最後につけて使うことが多いです。

基本パターン

Per sicurezza ＋ 文章 .

念のために〜／Per sicurezza 〜

基本パターンで言ってみよう！

Per sicurezza confermo la prenotazione.
ベル　シクレッツァ　コンフェルモ　ラ　プレノタツィオーネ

念のために、予約の確認をしておくよ。

Chiudo la finestra **per sicurezza**.
キウード　ラ　フィネストラ　ベル　シクレッツァ

念のために、窓を閉めよう。

Per sicurezza ti do il mio indirizzo.
ベル　シクレッツァ　ティ　ド　イル　ミオ　インディリッツォ

念のために、私の住所を教えるね。

Per sicurezza prendo un ombrello.
ベル　シクレッツァ　プレンド　ウ　ノンブレッロ

念のために、傘を持っていくね。

Per sicurezza lo chiamo.
ベル　シクレッツァ　ロ　キアーモ

念のために、彼に電話するね。

Per sicurezza ci vado io di persona.
ベル　シクレッツァ　チ　ヴァード　イオ　ディ　ペルソーナ

念のために、私が直接行ってきます。

ワンポイント 『〜 di persona』で、「直接〜する」という意味になります。

Per sicurezza salvo il file.
ベル　シクレッツァ　サルヴォ　イルファイル

念のために、ファイルを保存します。

66 何時に〜？

A che ora 〜？

基本フレーズ

ア ケ オーラ チ ヴェディアーモ
A che ora ci vediamo?
何時に会いましょうか？

こんなときに使おう!
相手と待ち合わせをするときに…

『A che ora 〜?』は、「何時に〜？」という表現です。『A che ora 〜?』と聞かれたら、『Alle dieci.（10時に）』または『Verso le dieci.（10時ごろ）』などと答えます。

基本パターン

A che ora ＋ 疑問文 ？

何時に～？／A che ora ～?

基本パターンで言ってみよう！

A che ora cominciamo?
(ア ケ オーラ コミンチャーモ)

何時に始めますか？

A che ora torna a casa?
(ア ケ オーラ トルナ ア カーザ)

何時にご帰宅ですか？

A che ora partiamo?
(ア ケ オーラ パルティアーモ)

何時に出発しようか？

A che ora fai la colazione?
(ア ケ オーラ ファイ ラ コラツィオーネ)

何時に朝ごはんを食べるの？

A che ora arriva il treno?
(ア ケ オーラ アリーヴァ イル トレーノ)

何時に列車は着くの？

A che ora finisci il lavoro?
(ア ケ オーラ フィニーシ イル ラヴォーロ)

何時に仕事を終えるの？

A che ora sei partito?
(ア ケ オーラ セイ パルティート)

何時に出発したの？

これも知っておこう!

【時刻の表し方】

9:00
nove

9:05
nove e cinque

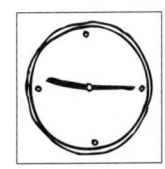

9:15
nove e quindici /
nove e un quarto

9:30
nove e mezza

9:45
dieci meno un quarto

9:50
dieci meno dieci

24:00
mezzanotte

12:00
mezzogiorno

何時に〜？／A che ora 〜?

【いろいろな時刻の表現のしかた】

9時です。
Sono le nove.

午前9時です。
Sono le nove di mattina.

だいたい9時です。
Sono quasi le nove.

正午です。
È mezzogiorno.

午後2時です。
Sono le due di pomeriggio.

午前0時です。
È mezzanotte.

67 ～を楽しみにしているよ

Non vedo l'ora di ～

基本 フレーズ

ノン　ヴェード　ローラ　ディ　アンダーレ　ア　キョート
Non vedo l'ora di andare a Kyoto.
京都に行くのを楽しみにしているよ。

こんなときに使おう！
友人との旅行の出発をひかえて…

『Non vedo l'ora di ＋ 動詞の原形 』は、「～を楽しみにしている」という表現です。「～が待ち遠しい」という意味でも使います。

● 基本パターン ●

Non vedo l'ora di ＋ 動詞の原形 ．

~を楽しみにしているよ／Non vedo l'ora di ~

基本パターンで言ってみよう!

ノン ヴェード ローラ ディ ヴェデルティ
Non vedo l'ora di vederti.

会えるのを楽しみにしているね。

ノン ヴェード ローラ ディ ヴェデルロ ドメーニカ
Non vedo l'ora di vederlo domenica.

彼に日曜日に会えるのが楽しみだわ。

ノン ヴェード ローラ ディ パルティーレ
Non vedo l'ora di partire.

出発が待ち遠しいです。

ノン ヴェード ローラ ディ フィニーレ クエスト ラヴォーロ
Non vedo l'ora di finire questo lavoro.

この仕事を終わらせるのが待ち遠しいよ。

ノン ヴェード ローラ ディ ファルティ ヴェデーレ ラ ミア マッキナ ヌオーヴァ
Non vedo l'ora di farti vedere la mia macchina nuova.

新しい車を君に見せるのが楽しみだよ。

ノン ヴェード ローラ ディ アリヴァーレ ア カーザ
Non vedo l'ora di arrivare a casa.

家に着くのが待ち遠しいよ。

68 〜で困っているの

Ho un problema con 〜

基本フレーズ

オ　ウン　　プロブレーマ　　コン　イル　コンプーテル
Ho un problema con il computer.
コンピューターのことで困っているの。

こんなときに使おう!
コンピューターの調子が悪いときに…

『Ho un problema con ＋ 名詞 』は、「〜で困っている」という表現です。

「〜のことで問題を抱えている」という表現としても使えます。

基本パターン

Ho un problema con ＋ 名詞 .

～で困っているの／Ho un problema con ～

基本パターンで言ってみよう!

オ ウン プロブレーマ コン イル ラヴォーロ
Ho un problema con il lavoro.

仕事のことで困っているの。

アッビアーモ ウン プロブレーマ コン ラ マッキナ
Abbiamo un problema con la macchina.

私たち、車のことで困っているの。

オ ウン プロブレーマ ダ リソルヴェレ
Ho un problema da risolvere.

解決しないといけない問題があるんだ。

ワンポイント 『da＋動詞の原形』～すべき

オ プロブレーミ コン イ ヴィチーニ
Ho problemi con i vicini.

お隣さんのことで困っているの。

ア プロブレーミ コン ラ スア ファミーリア
Ha problemi con la sua famiglia.

彼は家族のことで困っているの。

69 〜だから

perché 〜

基本フレーズ

ストインカーザ　ペルケー　ソーノ　スタンコ
Sto in casa perché sono stanco.
疲れたから家にいるよ。

こんなときに使おう!
「映画でも観ない？」という誘いに…

『文章A（結果）+ perché + 文章B（理由）』は、「Bだから、A」と、理由を表す表現です。日本語の文章とは順序が逆で、理由となる文章が『perché』の後にきます。

基本パターン

文章A（結果） ＋ perché ＋ 文章B（理由）．

～だから／perché～

基本パターンで言ってみよう!

ティ キアーモ ドッポ ペルケー アデッソ ノン ノ テンポ
Ti chiamo dopo perché adesso non ho tempo.

いま時間がないから、後で電話するよ。

ノン コンプロ クエッラ ボルサ ペルケー エ トロッポ コストーザ
Non compro quella borsa perché è troppo costosa.

あのバッグは高すぎるから買わないわ。

ノン マンジョ ペルケー ノン ノ ファーメ
Non mangio perché non ho fame.

お腹がすいてないから食べないよ。

ノン ヴァード アル チネマ ペルケー ソーノ スタンコ
Non vado al cinema perché sono stanco.

疲れたから映画には行かないよ。

アリーヴァ タルディ ペルケー イル スオ トレーノ エ イン リタルド
Arriva tardi perché il suo treno è in ritardo.

列車が遅れているから、彼は遅くなるよ。

ノン ヴォッリョ パルラーレ コン ルイ ペルケー ミ スタ アンティパティコ
Non voglio parlare con lui perché mi sta antipatico.

感じが悪いから、彼とは話したくないな。

ミ ピアーチェ ペルケー エ シンパティコ
Mi piace perché è simpatico.

彼は楽しい人だから好きだよ。

70 ～のとき

Quando ～

基本フレーズ

クアンド　アリーヴォ　ア　カーザ　ティ　キアーモ
Quando arrivo a casa, ti chiamo.
家に着いたとき電話するね。

こんなときに使おう！
出発の見送りにきてくれた友人に…

『Quando + 動詞の直説法現在 , 文章』は、「～するとき、…する」という表現です。現在のことか、もしくは未来のことについて言うときに用います。

基本パターン

Quando + 動詞の直説法現在 , 文章 .

基本パターンで言ってみよう！

クアンド　ソーノ　リーベラ　ティ　スクリーヴォ　ウナ　メイル
Quando sono libera, ti scrivo una mail.
時間が空いたとき、メールするね。

〜のとき／Quando 〜

Quando la vedo, ne parlerò con lei.
彼女と会ったときに、その話をするよ。

Quando sei pronto, mi fai sapere.
準備ができたら、知らせてね。

Quando sono stanco, non ho voglia di uscire.
疲れているときは、外出したくないです。

ワンポイント　『avere voglia di ＋動詞の原形』〜したいと思う

応用

過去に起こったことで、「〜したとき、…していた」という表現は、『Quando ＋ 動詞の直説法近過去 (〜したとき), 動詞の半過去 (…していた)』となります。

Quando sono partita, pioveva.
出発したときは、雨が降っていたよ。

Quando l'ho conosciuto, aveva 30 anni.
彼と知り合いになったとき、彼は30歳だった。

71 もし〜だったら

Se 〜

基本フレーズ

Se smettesse di piovere, uscirei.
（セ ズメッテッセ ディ ピオーヴェレ ウシレイ）
もし雨がやんだら外出するよ。

こんなときに使おう！
今日の予定を聞かれて…

『Se ＋ 動詞の接続法半過去 , 動詞の条件法現在 』は、「もし〜したら、…するよ」という表現です。不確かなことを言うときに使います。慣れてきたら使ってみましょう。

確かなことを言うときは、『Se ＋ 直説法 ＋ 直説法 』でOKです。

基本パターン

Se ＋ 動詞の接続法半過去 , 動詞の条件法現在 .

接続法半過去

	-are動詞	-ere動詞	-ire動詞
私	amassi	temessi	sentissi
あなた	amassi	temessi	sentissi
彼／彼女	amasse	temesse	sentisse
私たち	amassimo	temessimo	sentissimo
あなたたち	amaste	temeste	sentiste
彼ら／彼女たち	amassero	temessero	sentissero

もし〜だったら／Se 〜

基本パターンで言ってみよう!

Se arrivassi in tempo, verrei volentieri con voi.
セ アリヴァッシ イン テンポ ヴェレイ ヴォレンティエリ コン ヴォイ

もし時間内に到着できたら、喜んでご一緒します。

Se non superassi l'esame, sarei nei guai.
セ ノン スーペラッシ レザーメ サレイ ネイ グアイ

もし試験に受からなかったら大変なことになるぞ。

ワンポイント 『essere nei guai』〜が大変なことになる

Se domani ci sarà bel tempo, usciremo.
セ ドマーニ チ サラ ベル テンポ ウシレーモ

明日いい天気になったら、出かけよう。

Se non arriva, chiamiamo.
セ ノン アリーヴァ キアミアーモ

彼が到着しないようなら電話しよう。

Se incontri Maria, salutala da parte mia.
セ インコントリ マリア サルータラ ダ パルテ ミア

マリアに会ったら、よろしく伝えてね。

72 ～のほうが…だ

è più ＋ 形容詞 ＋ di ［che］…

基本フレーズ

イオ ソーノ ピゥ アルト ディ テ
Io sono più alto di te.
僕は君より背が高いよ。

こんなときに使おう！
友達と背比べをしているときに…

『 名詞A ＋è più＋ 形容詞 ＋di＋ 名詞B 』は、「AはBより～だ」という比較を表す表現です。

『 動詞A ＋è più＋ 形容詞 ＋che＋ 動詞B 』は、「AはBより～だ」という動作の比較を表す表現です。

基本パターン

名詞A ＋ è più ＋ 形容詞 ＋ di ＋ 名詞B ．

動詞A ＋ è più ＋ 形容詞 ＋ che ＋ 動詞B ．

〜のほうが…だ／è più+形容詞+di [che]…

基本パターンで言ってみよう!

<ruby>Questo<rt>クエスト</rt></ruby> è più <ruby>grande<rt>グランデ</rt></ruby> di <ruby>quello<rt>クエッロ</rt></ruby>.

Questo è più grande di quello.

これはあれよりも大きいです。

Tu sei più tranquillo di me.
トゥ セイ ピゥ トランクイッロ ディ メ

君は僕より落ち着いているね。

Maria è più grande di Carlo.
マリア エ ピゥ グランデ ディ カルロ

マリアはカルロより歳が上です。

> **ワンポイント**　『più grande』は、「より大きい」のほかに、「年齢が上」という意味でも用います。

Questo tappetto è più lungo di quello.
クエスト タッペット エ ピゥ ルンゴ ディ クエッロ

この絨毯は、あそこのより長いよ。

In lingua straniera, parlare è più difficile che ascoltare.
イン リングア ストラニエラ パルラーレ エ ピゥ ディッフィーチレ ケ アスコルターレ

外国語は、聞くことより話すことのほうが難しいです。

これも知っておこう！ ——『più』を用いない言い方

　以下の表現は、『più』を用いない不規則な比較級になります。migliore, peggiore, maggiore, minoreは、物理的・具体的なものより、主に抽象的・比喩的な事柄について用いられます。どれも基本的な形容詞なので、覚えておきましょう！（　）内は規則的な形です。

	原級	比較級
よい	buono	migliore（più buono）
悪い	cattivo	peggiore（più cattivo）
大きい	grande	maggiore（più grande）
小さい	piccolo	minore（più piccolo）
多い／とても	molto	più
少ない／少し	poco	meno
よく	bene	meglio
悪く	male	peggio

クエスタ　プロドゥツィオーネ　エ　ミリオーレ　ディ　クエッラルトラ
Questa produzione è migliore di quell'altra.

この製品はあっちの製品よりいいね。

イル　テンポ　エ　ペッジョーレ　ディ　イエリ
Il tempo è peggiore di ieri.

昨日より天気が悪いね。

イル　ヴォルーメ　デッラ　ムジカ　エ　ミノーレ　ディ　プリマ
Il volume della musica è minore di prima.

前より音楽は小さくなったよ。

オッジ　スト　メッリョ　ディ　イエリ
Oggi sto meglio di ieri.

今日は昨日より元気だよ。

■著者略歴■
ビアンカ・ユキ（Bianca Yuki）
東京都生まれ。ボローニャ国立大学文哲学部卒。ミラノ国立大学大学院現代言語学科修士課程修了。イタリア語通訳案内士の資格を取得後、日本とイタリア北部を拠点に、主に芸術分野の交流活動に携わっている。著書に『CD BOOK イタリア語会話フレーズブック』（明日香出版社）。

ジョルジョ・ゴリエリ
（Giorgio Gorrieri）
ボローニャ生まれ。ボローニャ国立大学経済法学部卒。同大学大学院経済法学科専門課程修了。日本への語学留学を経て、外資系大手監査法人に勤務。著書に『CD BOOK イタリア語会話フレーズブック』（明日香出版社）。

本書の内容に関するお問い合わせ
明日香出版社　編集部
☎(03) 5395-7651

CD BOOK　たったの72パターンでこんなに話せるイタリア語会話

2010年7月23日　初版発行
2020年3月16日　第11刷発行

著　者　ビアンカ・ユキ
　　　　ジョルジョ・ゴリエリ

発行者　石野栄一

明日香出版社

〒112-0005　東京都文京区水道2-11-5
電話(03) 5395-7650(代　表)
　　(03) 5395-7654(F A X)
振替00150-6-183481
http://www.asuka-g.co.jp

■スタッフ■　編集　小林勝／久松圭祐／古川創一／藤田知子／田中裕也
　　　　　　　営業　渡辺久夫／奥本達哉／横尾一樹／関山美保子／藤本さやか
　　　　　　　財務　早川朋子

印刷　株式会社研文社
製本　根本製本株式会社
SBN978-4-7569-1397-5　C2087

乱丁本・落丁本はお取り替えいたします
©Bianca & Gorrieri 2010 Printed in Japan

CD BOOK たったの72パターンで こんなに話せる英会話

味園　真紀：著

本体価格1400円＋税
B6変型　216ページ
ISBN4-7569-0832-2
2005/01発行

**全国で大好評発売中！
英語ぎらいな人も、
英語が好きな人も、
必ず英語が話せるようになる！**

＜決まった「パターン」を使い回せば、誰でも必ず話せる！＞
英会話では、フレーズを丸暗記するのではなく、英語でよく使われる「パターン」を身につけることが、1日も早く英語が話せるようになる近道です。

＜これでもうフレーズ丸暗記の必要ナシ！＞
「～じゃない？」「～頑張って！」「よく～するの？」「～してもらえない？」「～はどんな感じ？」「～だよね？」などなど、ふだん使う表現が英語でも必ず言えるようになります。

＜こんな方にオススメです＞
・英語を始めたばかりの方、やり直し始めたばかりの方
・暗記が苦手な方
・英文法をコツコツ勉強するより、とにかく会話を楽しみたい方

72パターンに＋α(プラスアルファ)で何でも話せる英会話

味園　真紀：著

本体価格1400円＋税
B6変型　216ページ
ISBN4-7569-0931-0
2005/11発行

**『たったの72パターンで
こんなに話せる英会話』
の次は、この本にチャレンジ！
英語ぎらいなあなたでも
だいじょうぶ。**

＜決まった「パターン」を使い回せば、誰でも必ず話せる！＞
英会話でよく使われる「72パターン」に加えて、さらにプラスアルファで覚えておきたい「38パターン」をご紹介。

＜４コママンガで英語の使い方がよくわかる！＞
４コママンガで、「72パターン」「＋α38パターン」の使い方を確認！　これでもう、電話でも旅行先でもあわてません♪

＜こんな方にオススメです＞
・『たったの72パターンでこんなに話せる英会話』を読み終えて、もう１冊英会話の本に挑戦してみたい！　という方
・英語を始めたばかりの方、やり直し始めたばかりの方
・英文法をコツコツ勉強するより、とにかく会話を楽しみたい方

CD BOOK たったの68パターンでこんなに話せるビジネス英会話

味園　真紀：著

本体価格1600円＋税
B6変型　208ページ
ISBN4-7569-1021-1
2006/10発行

**ビジネス英語だって、
『68パターン』を使い回して
ここまで話せる！
いちから勉強する時間がない…
という方にもオススメです。**

＜決まった「パターン」を使い回せば、誰でも必ず話せる！＞
英会話では、フレーズを丸暗記するのではなく、英語でよく使われる「パターン」を身につけることが、1日も早く英語が話せるようになる近道です。

＜これでもうフレーズ丸暗記の必要ナシ！＞
「あいにく～」「～してもよろしいですか？」「～して申し訳ございません」「当社は～です」「～していただけますか？」「～はいかがですか？」などなど、ビジネスでの必須表現が、英語でも言えるようになります。

＜こんな方にオススメです＞
・ビジネスですぐに使える英語を身につけたい人
・英語を始めたばかりの方、やり直し始めたばかりの方
・暗記が苦手な方